재미교포 장재옥 여사의 30년 요리연구!
A thirty-year study by Korean-American immigrant,
Ms. Jae-ok Chang

# 우리요리 이야기 III
## Vignette of Korean Cooking III

# 궁중요리
## &
# Well-being 요리

Cooking...

의 사인 남편을 따라 American Dream을 가지고 이 낯선 땅에 이민온 지 30여년이 되었습니다. 이민 초기에는 외로움으로 고국을 그리워했고 그 후에도 튼튼한 뿌리를 이 미국땅에 내리기 위한 바쁜 생활 가운데 틈틈이 고국을 그리워했으며 근래에도 안정된 생활 속에서 지난 날을 돌아보며 고국을 그리워합니다.

그러나 한편으론 우리 자녀들로 하여금 Korean-American의 특수한 입장을 깊이 깨닫게 하고 뿌리를 찾아서 이해하고 그것을 잘 보존하며 지켜나가도록 도움을 주는 부모가 되기를 기도합니다.

그러기 위해서는 한국말을 가르쳐 한국의 문화를 이해하도록 하고 또 한국음식에 익숙하게 함으로써 한국의 전통을 이해할 수 있도록 도와주기를 원합니다.

저는 평범한 주부로서 요리를 전공한 적은 없습니다만, 제 사랑하는 딸 Barbara(바바라)에게 한국의 전통을 물려주기 위해서 이 책을 씁니다.

저는 아주 어릴 적부터 음식에 굉장히 관심이 있었고, 취미가 있었습니다. 한 가지 음식을 보면 열 가지 이상의 아이디어가 생겼습니다. 어떤 음식이든 예사로 보지 않았고 반드시 해 보는 열성이 있었습니다. 이곳에서 취미로 해 본 요리들을 가지고 이 곳 주위에 있는 여러 한인 사회단체들의 요청에 따라 20년 이상 요리 강습회 강사로 강의한 자료들을 모아서 부족하지만 이렇게 책으로 엮어서 딸 Barbara에게 주기로 작정했습니다.

그래서 이 책에는 아주 기초적인 음식의 요리법도 포함시켰고 또한 이 곳 동양식품점이나 서양식품점에서 구할 수 있는 재료들을 써서 요리할 수 있도록 이 책을 기록했으며 화학조미료를 쓰지 않았으며 가능하면 지방질이 적게 들어가도록 노력했습니다. 우리 자녀 2세들과 미국 사람들도 쉽게 우리 음식을 즐길 수 있도록 요리과정을 상세하게 한국말과 영어로 기록했습니다.

이 책이 발간되기까지 많은 분들이 수고하시고 도와주셨습니다. 특히 말없이 걱정하며 협조하고 조언을 해주신 남편께 감사드리며 영어번역을 위해 수고해 주신 Mrs. Young-joo Vipond 그리고 자료를 교정해 주시고 타이프를 맡아주신 Mrs. 김무환씨에게 정말 감사드립니다.

또한 한국의 출판사 관계의 일과 그 외 여러 가지 일로 수고해주신, 남편 친구되시는 한국에 계신 편영식 박사님 부부, 이 책을 낼 때까지 용기와 격려를 주신 김영환 박사님 부부, 조남제 박사님 부부와 구본철 박사님 부부께 진심으로 감사드립니다. 사실 이 책은 저의 평범한 지혜로 썼으며 정말 사랑하는 후세의 장래 식생활이나 또한 한국의 전통을 이해하는데 조금이라도 도움이 되고 한국음식에 관심있는 미국 주부들에게 도움이 된다면 더없는 기쁨이 되겠습니다. 부족한 저에게 요리책을 쓸 수 있도록 능력과 지혜를 주신 하나님께 감사드립니다.

It has been almost thirty years since my physician husband and I moved to this unfamiliar land from Korea, immigrating with the American Dream. At first, I was lonely and longed for my homeland all the time. However, as we settled and busily established ourselves in America, I began to think of Korea from time to time. Nowadays, I cherish the past and think fondly of my homeland.

I pray that I can be a helpful parent who can teach our children how unique they are as Korean-Americans and how to preserve their heritage. I think it is necessary to teach them the Korean language and familiarize them with traditional Korean cuisine in order to create an understanding of the Korean culture and its customs.

Although I am simply a housewife and mother who has not received formal training in cooking, I have written this cookbook for my lovely daughter, Barbara, to pass on the Korean tradition. Ever since I was a young girl, I have been interested in food and have enjoyed cooking. When I thought of one dish, I would think of more than ten different ways to prepare it. I scrutinized every dish and always attempted to prepare everything I tasted.

For over twenty years, I have been giving cooking lessons and demonstrations upon the request of a number of Korean organizations in the greater Cleveland area. This cookbook is based on the research and recipes involved in the teaching process. As amateur and modest as it may be, I decided to create this book and dedicate it to my only daughter, Barbara. Throughout this book, I employ very rudimentary cooking methods and recipes that consist of ingredients that can easily be purchased at local oriental groceries and markets. I do not use any chemical food additives nor do I use any mono sodium glutamate in any of the recipes. I always use a minimal amount of fat when choosing the ingredients. I chose to write a bilingual cookbook for the sake of westerners who are interested in Korean cuisine and most importantly, for the generations to come of our children who may not read Korean.

This book could not have been published without the help of many people. First, I would like to thank my supportive husband who has always advised me and quietly supported me. I would also like to take this opportunity to thank the following individuals for making this cookbook possible: Mrs. Young-joo Vipond for her translation and Mrs. Moo Hwan Kim for the typing and editing of the text. I would also like to show my sincere appreciation to our friends, Dr. and Mrs. Young Shik Pyun, for helping me with the publication and a variety of other important tasks in Korea. I will never forget the individuals who encouraged me and provided mental support throughout the whole process: Dr. and Mrs. Nam Je Cho, Dr. and Mrs. Bon Chul Koo, and Dr. and Mrs. Young Hwan Kim. I instinctively wrote this book in order to help our children prepare Korean food and understand our customs and traditions. It would also bring me great joy to know that this book can be of help to any American housewife who is interested in Korean cuisine. Finally, I would like to thank God for granting me the necessary wisdom and enabling me to write this cookbook.

Ms. Jae-ok Chang
Cleveland, Ohio

## 한국 음식과 한국문화를 알리는...
## 건강식 요리도 소개하게 되었는데 큰 환영을 받았으며...

American Red Cross Fund Drive Chairperson에 책임을 맡고 주위의 추천으로 한국음식과 한국문화를 알리는 Dinner Party를 열게 되었을 때 장여사가 쓰신 2권의 Cook Book을 소개하였습니다. 특히 건강식 요리도 소개하게 되었는데 큰 환영을 받았으며 장여사는 재능과 능력 뿐만 아니라 우리 2세 동포와 외국인에게 베풀고 싶어하는 애정이 풍부한 분입니다. 주위의 요청으로 세 번째 책이 나오는 것을 축하하는 바이며 장여사의 지난 35년간 한인교회, 지역사회에서 우리 한국의 요리와 문화를 알리는데 많은 공적을 쌓은 분임을 생각할 때 같은 동포로서 깊은 축하를 드립니다.

I held a very successful American Red Cross fund drive by introducing Korean food and culture to support our local disaster relief as well as for Tsunami disaster. Mrs. Kwon came to this event with her cookbooks to help this event and was well accepted by more than 500 hundred participants. I praise her 35 years of service to her Korean Church and local community by educating our culture to not only for 2nd generation of Korean Americans but to all who are interested in healthy korean food - I give my heartfelt congratulations to her 3rd publication!!

Susan. Y Shin
President, Medi-Lab Inc.

추 · 천 · 의 · 글

## 젊은이들에게는 쉽고, 간편하게 요리할 수 있다는 용기와 더불어
## 한국음식에 진미도 맛볼 수...

제 자신이 이 요리책을 이용하면서 간편하고 맛있게 요리를 하고 있습니다. 하루는 요리법에 있는 그대로 재료를 사용하여 "북어국(Book 1 Pg. 85)"을 끓였는데 우리 부부가 믿지 못할 이상의 진미를 맛보았습니다. 그 후부터 이 요리책을 결혼 선물과 곁들여 우리 2세들, 친구들 그리고 외국인들에게도 선물하고 있습니다. 삶에 생활이 간소화되어 가는 이 시대에 특히 젊은이들에게는 쉽고, 간편하게 요리할 수 있다는 용기와 더불어 한국음식의 진미도 맛볼 수 있는 이용성 있는 요리책이라 권하고 있습니다. 아들 친구에게 결혼 선물로 주었더니 하루는 우리들을 초대하여 처음으로 본인들이 만든 "불고기(Book 1 Pg. 16-17)"맛을 함께 즐기면서 아름다운 시간도 가졌습니다.

저는 특별손님이나, 친지들을 위하여 요리할 때 이 요리책을 많이 사용하며 저의 아들(텍사스), 딸(캘리포니아)에게도 선물로 주었더니 너무나 간편하면서도 맛있게 또한 연령에 관계없이 요리할 수 있는 유용성 있는 요리책자라면서 많은 친구들에게도 권하고 있습니다. 생활에 더욱 간편화를 추구하는 21세기 이 시대에 맞추어 많은 사람들에게 유용한 책자를 제공하시는 사랑하는 동문님께 특별히 진심으로 감사와 축하를 드립니다.

Since I've used the Korean Cookbook, I've made some easy and delicious meals.
One day I made the Dried Pollack Soup (Book 1 page 85) for my husband. I followed the recipe step by step and the soup turned out fabulous. This cookbook is a great idea for a wedding gift for 2nd generation Koreans and others. Their lifestyle is so busy and the simplicity of the cookbook encourages them to cook Korean food.
One day my son's friend invited us over to dinner and they cooked some "Korean Barbecue Beef" (Boul-Koh-Kee Book 1 page 16-17). This was their first time cooking Korean food and the "Boul-Koh-Kee" was delicious. I have enjoyed cooking with this Korean cookbook for our guests and my family. I purchased the book for my daughter in California and my son in Texas. They have enjoyed the book and have passed it along to their friends. I highly recommend this cookbook for all ages...It's simple and the food is delicious. Yuummy Yummy!!
Congratulations in your international cookbook and the tribute you have made to our 21st century fast paced society.
Great going my alumni friend Jae-Ok!!

Bangja(B.J.) Yang: Mediator, Small Claims Court, Wichita, KS
Director, SookMyung Women's University Alumnae, USA

## 매일 매일 식탁에서 볼 수 있는 음식에서부터
## 특별한 파티날에도 만날 수 있는 음식까지, 다양한 음식이 소개...

최근 들어, 삶의 질이 높아지면서, 웰빙에 대한 관심이 전 세계적으로 퍼지고 있습니다. 이와 맞물려 한국 음식은 건강식이라는 것이 알려지면서 한국 음식과 한국 음식을 기본으로 한 여러나라 음식과의 퓨전 음식이 각광을 받고 있습니다. 장재옥씨가 쓰신 '우리 요리 이야기' 책도 이런 경향과 더불어 미식가들의 관심을 받고 있습니다. 이 책의 큰 장점은 음식 한가지 한가지를 정확히 설명해서, 아주 쉽게 우리들의 식탁에 적용할 수 있다는 점입니다. 또한 건강까지 생각한 조리법이 소개된 책입니다. 또한 이 책에 소개된 음식들은 매일 매일 식탁에서 볼 수 있는 음식에서부터 특별한 파티날에도 만날 수 있는 음식까지 다양한 음식이 소개되어 있습니다. 따라서 '우리요리 이야기' 는 음식을 대접하고 싶은 마음은 간절하지만 바쁜 일생생활과 요리법을 몰라서 고민하는 분들께 해결책을 제시하는 책입니다.

Vignette of Korean Cooking is addressing a rapidly growing epicurean audience. Traditional Korean fare has been modernized and fused with dishes from all over the world, commanded by a broad, food-aware audience. Since the first volume, Vignette has raised the bar on what's expected of Korean cuisine. Each recipe is thoroughly explained and concise, and this volume contains many choices for the health-conscious individual. Ms. Chang's cookbooks provide a stylish layout with easy to understand recipes that always come in handy for a family evening meal or sophisticated dinner party. Beautiful full color photographs illustrate not only tasty food, but also table setting scheme and serving suggestions for each delectable dish. All recipes are within the reach of competent home cooks, and those that are more complicated or time-consuming are thoroughly described. As practical as it is entertaining, Vignette of Korean Cooking is not only the perfect introductory cookbook to Korean cuisine, but the necessary addition to your own collection.

Kay Shin-Park, R.N., Ph.D.(신공범 교수)
Adjunct Professor University of Akron, Ohio
Ewha Womans University Seoul, Korea

추 • 천 • 의 • 글

## 장 여사의 새로운 건강식 개발과 영양식 연구는
## 뉴욕과 시카고, 워싱턴의 한인 라디오 방송을 통해 널리 보급... 많은 호응

장재옥 여사의 '우리요리 이야기' 제2권 출판을 진심으로 축하합니다. 장 여사의 조리법(Recipe)의 특징은 건강식 재료선택과 정확한 함량치수, 그리고 간편한 조리방법에 있다고 봅니다. 따라서 누구든지 손쉽게 요리할 수 있는 이점이 담겨 있습니다.
장 여사의 계속적인 새로운 건강식 개발과 영양식 연구는 뉴욕과 시카고, 워싱턴의 한인 라디오 방송을 통해 널리 보급되고 있으며 지역별 순회 요리강좌도 많은 호응을 받고 있습니다. 이 두 권의 '우리요리 이야기' 는 모든 내용이 영문으로 번역이 잘 되어 있어 우리 2세들이나 외국인들에게도 꼭 권하고 싶은 요리백과입니다.

남가주 거주 의학박사 이덕숭

I would like to congratulate Ms. Jae-ok Chang from the bottom of my heart for the publication of the "Vignette of Korean Cooking II" The advantages of Ms. Jae-ok Chang's recipes lie in selecting easily available but wholesome ingredients, exact measurements and simple cooking processes. Therefore, anyone can follow the directions and make the entire cooking processes easy. Once the dish is prepared, it is both visually and tastefully pleasing. Ms. Jae-ok Chang's continuous devotion to the development of healthy but nutritionally balanced dishes has been well publicized through numerous radio talk shows in the New York and Chicago area. Her regional cooking shows held at these areas also boast regular high attendance rates. Since both the "Vignette of Korean Cooking" books have been translated into English painstakingly well, they should be welcome additions to the 2nd generation Koreans as well as foreigners to Korean dishes.

Duk S. Lee, M.D.
Southern California

## 맛의 饗宴 ...만들기 간편하고 절묘하게 창조되는
### 음식의 풍요로움과 우아함 ...

요리가 예술임을 새롭게 발견하게 하는 장재옥 여사님의 두 번째 요리책이 나오게 됨을 반갑게 생각합니다. 이 책에는 120가지의 한국요리가 영문과 한글로 사진과 함께 어울려 미국에 사는 동포와 2세들이 손쉽게 만들 수 있도록 자상하게 수록되어 있습니다.
'우리요리 이야기'는 미 전역은 물론 캐나다에 이르기까지 엄청난 호응을 얻고 있습니다. 만들기 간편하고 절묘하게 창조되는 음식의 풍요로움과 우아함에 누구나 매료되기 때문입니다.
또 하나의 신비롭고 다양한 맛의 향연으로 초대해 주시는 요리의 마술사이신 著者께 애독자로서 敬意와 고마움을 드립니다.

뉴욕에서 시인 金貞起

Symphony of Taste

I welcome the cookbook by Ms. Jae-ok Chang, from which I re-discovered that cooking is a form of art.
In this sequel, about 120 Korean dishes are narrated in details written in both English and Korean, along with pictures, thus making Korean dishes easy for both the first and second generations of Korean-Americans.
The first cookbook, "Vignette of Korean Cooking," has been well received not only in the United States but also in Canada. Many people are fascinated with the cookbook because of the abundance of exquisite creations that are both elegant and easily prepared. As a reader, I give my thanks and respects to the author for another invitation to the symphony of tastes, a symphony that is magical, with endless variety.

Jungki Kim, poet<br>New York

### 추 · 천 · 의 · 글

## 목회 현장에서 만난 장재옥 권사님은
### 이웃에 유익함을 주는 요리강사 ...

빠르게 변화하는 지구촌의 삶이 한결같이 인스턴트 식품을 선호하는 세상이 되었습니다. 허나 식탁에 오를 먹거리를 준비하는 주부의 정성어린 손놀림처럼 창조적이며 빛나는 손길이 있을까요? 세상이 온통 근본적인 변화에 당황해 한다고 한들 가족과 자신의 건강을 위해 맛나는 먹거리를 준비하는 주부들의 분주함은 예나 변함없이 위대한 것임이 틀림없습니다.
목회 현장에서 만난 장재옥 권사님은 주부로 때로는 이웃에 유익을 주는 요리강사로 오랫동안 헌신하신 분이십니다. 금번에 장권사님께서 오랜 자신의 경험과 확신을 기반으로 유익한, 고유의 전통어린, 품위 있고 실제로 영양가 있으며, 맛나는 식탁준비의 자료와 조리법(Recipe)을 정리하시어 귀한 책자를 한영본으로 내놓으셨음을 기쁘게 생각합니다. 이 귀중한 결실이 1세들 뿐만 아니라 특별히 자라나는 이민 2세, 3세들에게 좋은 선물이 되기를 기대하면서 이 책을 즐거운 마음으로 추천하고자 합니다.

클리블랜드 중앙장로교회 담임목사 강기석

We are living in a fast-changing world that constantly favors instant food. However, there is nothing more special and creative than the work of a housewife who prepares food for her family. Despite the changing world and environment around us, housewives continue to concern themselves with their family's health and prepare delicious meals. I met Ms. Jae-ok Chang through my ministry. She has dedicated herself as a housewife and cooking instructor for the benefit of her community with a clergy-like attitude. I am so pleased that she has written this bilingual cookbook full of recipes which are visually appealing as well as delicious and nutritional for Korean-Americans.
I gladly recommend this precious book to all Korean-Americans and our future generations.

Pastor David Kisuk Kang<br>The Korean Central Presbyterian Church of Cleveland

## "보기에 아름답고 격조 있는 요리"
### "일상식탁에 오를 수 있는 요리"

그간 미국 오하이오주의 클리블랜드를 중심으로 여러 지역의 한인회와 교회 등에서 요리강습을 주관하시던 장재옥 선생께서 요리에 대한 책을 출판하신 데 대하여 진심으로 축하드립니다. 장선생의 요리솜씨는 이 지역에서는 이미 널리 알려져 있으며 요리강습 때마다 여러 사람들의 감탄과 칭송을 받은 지 오래입니다. 그의 음식은 "건강을 위한 요리", "맛있는 요리", "보기에 아름답고 격조 있는 요리" 그리고 "일상 식탁에 오를 수 있는 요리"여야 된다는 큰 과제를 가지고 연구되고 개발된 것들입니다. 특히 이번 책은 영어와 한국어로 병기되게 함으로써 재미2세들에게 할머니와 어머니들의 손으로 만들어졌던 맛있고 멋있는 고국의 요리들을 배우고 만들 수 있게 하며 고국의 맛을 이어받을 수 있는 큰 계기가 될 것을 확신하며, 이 책을 모든 가정에 추천하는 바입니다. 그리고 이런 아름답고 유익한 책을 펴내신 장재옥 선생께 다시 한 번 감사드립니다.

미국 Ohio에서 Dong Sung Lee, M.D., ph.D.

First of all, I offer my genuine congratulation to Ms. Jae-ok Chang for publishing this cookbook after making her cooking lessons available to Korean communities and churches of the greater Cleveland area in Ohio. Around here it is a well-known fact that she is highly praised for her cooking talents and lessons. She has researched, created and developed her dishes with the following objectives over the years: "healthy and nutritional recipes", "delicious recipes", "esthetically pleasing recipes" and "everyday, easy-to-make recipes".

I highly recommend this bilingual cookbook especially for our second and future generations of Korean-Americans to learn and enjoy those dishes that were home-cooked by their mothers and grandmothers, and for giving our future generations an opportunity to inherit their motherland's unique cuisine and tastes. Again, I offer my sincere appreciation to Ms. Chang for writing this beautiful and helpful cookbook.

Dong Sung Lee, M.D., Ph.D.
Youngstown, Ohio

추 • 천 • 의 • 글

## 요리강습과 지면을 통하여 흔한 재료로 맛과 멋과
### 영양이 가득하고 다채다양한 새로운 음식을 연구 ...

장재옥 여사는 20년이 넘도록 미국 오하이오주 클리블랜드 한인사회의 민족적 선각자로서 식생활 발전과 개선에 앞장섰습니다. 또, 요리강습과 지면을 통하여 흔한 재료로 맛과 멋과 영양이 가득하고 다채다양한 새로운 음식을 연구, 교육, 보급하셨습니다.

클리블랜드 한인사회에 끼친 장재옥 여사의 봉사활동이 특출하기에 1999년도에는 한인회로부터 표창이 수여되었습니다. 장재옥 여사께서 지난 1권에 이어 이번에 한글과 영문으로 된 「우리요리 이야기Ⅱ」란 저서를 내는 것은 우리사회가 오랫동안 기다리고 바랐던 일입니다. 장재옥 여사께 축하드리며 앞으로 이 책이 세계의 여성들과 가까워져서 쉽고 간단하게 짧은 시간을 들여 맛과 멋과 영양이 풍부한 요리로 건강한 가정, 건강한 사회를 만드는 데 이바지하기를 바랍니다.

한인회장 오세근

For more than twenty years, Ms. Jae-ok Chang pioneered in improving and developing our cooking and eating habits in the Korean American Association of greater Cleveland, Ohio. With her cooking demonstrations and recipes, she educated and introduced to the community at large various dishes that are full of taste, beauty and nutritional value, and easy to make with commonly available ingredients.

The Korean American Association of Greater Cleveland had recognized and honored Ms. Chang in 1999 for her outstanding contribution to Korean community. We have been waiting and hoping so long for her to publish a cookbook in both Korean and English. I congratulate Ms. Chang, and hope that her book will available to people all over the world so that many more families can also enjoy simple and easy-to-make recipes for healthier families and communities in the near future.

Se Keun Oh, President
The Korean American Association of Greater Cleveland

## 한식의 전승과 계발에
### 노력하여 오신 장재옥 여사님 ...

장재옥 여사는 타고난 요리감각에 30여년 간의 미주생활에서 몸소 체험한 경험을 접합시켜서 한식의 전승과 계발에 노력하여 오셨으며, 이번에 발간된 요리집은 이의 집성판입니다. 이 책으로써 장여사는 1세들에게는 향수에 젖은 음식을, 2세들에게는 격조 있는 한식요리법을, 그리고 외국인들에게는 새로운 식성을 찾아볼 수 있게 하였습니다.

클리블랜드 주립대 교수 이재원

Ms. Jae-ok Chang has combined her extraordinary cooking senses, thirty years of personal experimentation with food while living in the United States and development of more contemporary Korean recipes to make this cookbook a possibility. With this book she has provided a source for comfort food for the first generation immigrants, more authentic cooking methods for Korean food for the second generation and novel taste and cuisine for non-Korean readers.

Jae Won Lee, Professor
Cleveland State University, Cleveland, Ohio

## 아주 정교하고 예술적인 솜씨를
### 소유한 분이십니다

나의 마지막 20년간의 목회 사역에 있어서, 장재옥 권사님을 동역자로 또는 협조자로, 같이 일하게 된 것을 하나님께 감사합니다. 장권사님은 천부(天賦)의 은사로서 아주 정교하고 예술적인 솜씨를 소유한 분이십니다. 요리하는 일, 꽃꽂이 하는일, 그 외에도 집안장식을 하는 일에 있어서 탁월한 재능을 소유하셨고, 이 재능을 가지고 교회와 한인사회를 위하여 지대한 공헌을 해왔습니다.
이번에 그의 솜씨를 책에 담아서 귀한 요리책을 발간하게 된 것을 진심으로 축하합니다. 아무쪼록 이 책이 많은 가정주부들에게 큰 도움이 되며 더 나아가서 한국요리의 특이성을 국제사회에 널리 알리게 하는 뜻 깊은 계기가 되기를 간절히 소원합니다.

한인 중앙장로교회 원로목사 구영환

For the last twenty years of my service as a minister, I thank God for having Ms. Jae-ok Chang as my helper and co-worker. Our heavenly Father blessed her with artistic senses and talented hands. She possesses superb talents in cooking, flower arrangements, and interior design among many other things, and greatly served the church and Korean American community of the greater Cleveland with those special gifts. I sincerely congratulate her in publishing this cookbook. I wish and pray that this book will not only help many housewives, but also become a tool for showcasing unique Korean cuisine to international communities.

John Young hwan Koo, Ph.D., Pastor-Emeritus
The Korean Central Presbyterian Church of Cleveland

## ■ 장재옥 여사님께서 만드는 맛있는 한국음식을
### 먹을 수 있게 된 것을 다행이라 생각합니다

제가 25년 전 이 병원에서 일을 시작할 때부터 Dr. Kwon과 Mrs. Kwon을 알게 되었습니다.
저희들의 직장에서는 맡은 일을 잘 수행하기 위하여 회식이 자주 있습니다.
그때마다 Mrs. Kwon께서는 정말 맛있는 순수한 한국음식을 대접해 줍니다. Mrs. Kwon께서는 정말 훌륭한 재능을 지니고 있는 분입니다. 지금도 우리과에 같이 일하는 모든 사람들이 Mrs. Kwon이 우리를 위해서 한국음식을 만들어 달라고 Dr. Kwon에게 간청합니다.
저희들은 Mrs. Kwon께서 만드는 맛있는 한국음식을 먹을 수 있게 된 것을 정말 행운이라고 생각합니다.

Maria Schmidt
Director, Medical Imaging

Working at Geauga Regional Hospital I became acquainted with Dr. Kwon and subsequently his wife 25 years ago. Our department has numerous parties as a team-building tool so to enhance this project Dr. Kwon volunteered his wife's authentic Korean cooking. What a gift to our staff!! I have never tasted better Korean food. Mrs. Kwon has an enviable talent.
Now whenever we get together, we all beg Dr. Kwon to have his wife make something for us.

Maria Schmidt
Director, Medical Imaging

### 추 · 천 · 의 · 글

## ■ 어떤 화학 조미료도 쓰지 않고
### 순수한 재료로 진미를 내는 요리 ...

새 천년을 맞은 지금에 와서 관찰해 보면 인류가 드디어 영양식과 건강식에 관심을 가지고 어떻게 하면 건강하게 또 이상적인 체중을 유지할 수 있을까 노력하며 또 그 목적달성을 위해서 달리는 그런 때가 바야흐로 온 것 같습니다.
이 책의 저자가 바로 그런 사람들 중의 대표적인 한 사람이라고 볼 수 있습니다.
저자는 자신의 체중과 건강을 식이요법과 규칙적인 에어로빅 운동으로 잘 조정하면서 하나님께서 주신 재능인 무궁무진한 요리솜씨로 늘 교회를 중심으로 또 사회봉사를 즐기는 분이며, 이번에 특별히 수십, 수백 가지의 요리를 연구 집필하는데 맛나니(MSG)나 그 이외의 어떤 화학 조미료도 전혀 쓰지 않고 순수한 재료로 진미를 내는 방법을 연구해서 쓴 점에 참 매력이 있다고 봅니다.
건강식과 영양식에 관심이 있는 현대인들은 한 권쯤 가지고 실천에 옮겨 볼 만한 걸작품이 되리라고 믿습니다.

영양사 이정은

As we face the new millenium, the time has finally arrived for mankind to be concerned with nutritional and healthy eating habits as objectives, and to stay fit and maintain ideal weight. The author of this book, Ms. Jae-ok Chang, ideally represents this growing philosophy.
The author has not only maintained her ideal weight and good health by eating right and regularly engaging in aerobic exercise, but also used her tremendous cooking talents in serving the community mainly through her church.
This cookbook is especially attractive to me because none of the numerous recipes use any chemical food additives such as monosodium glutamate. I believe that this book will be a source for success to anyone who wants to switch to healthy and nutritional eating.

Jane Lee Han, RD, LD
Registered, Licensed and Consulting Dietitian

재미교포 **장재옥** 여사의 30년 요리연구!
A thirty-year study by Korean-American immigrant,
Ms. Jae-ok Chang

# 우리요리 이야기
# III

Vignette of Korean Cooking

C O N T E N T S

## ▶▶ Part 5
# 비타민이 풍부한
# 웰빙 야채요리
## Vegetables Dishes

CONTENTS

## ▶▶ Part 4
# 담백하고 깔끔한
# 웰빙 육류요리
## Meat Dishes

# 궁중 떡볶이 Royal Style Rice Cakes

### 준비할 재료 [5-6인분]

떡볶이떡 1봉지(1.3파운드/600g)
숙주 4온즈(100g)
양파(중간크기) 1개
표고버섯(채 썰어) 1/2컵
진간장 3큰술
설탕 3큰술
곱게 다진 마늘 1작은술
후춧가루 1/4작은술
물 3컵
소고기 4온즈(100g)
당근(채 썰어) 1/3컵
호박오가리(채 썰어) 1/2컵
송송 썬 미나리 1/2컵
참기름 6큰술
볶음깨 3큰술
다진 파 2큰술
식용유 1큰술
소금 3/4작은술

### 고명 재료

잣 1큰술
달걀 2개(황백 지단)

### 이렇게 만드세요

1 떡볶이떡은 물에 담갔다가 물3컵, 참기름 1큰술, 소금 1/4작은술을 냄비에 넣고 물이 팔팔 끓을 때 떡을 넣어 말랑말랑하게 삶는다. 찬물에 헹군 뒤 물기를 빼고 참기름 1큰술, 간장 1큰술에 무쳐놓는다.
2 소고기는 곱게 채 썰어 간장 1큰술, 참기름 1큰술, 설탕 1큰술, 후춧가루 1/4작은술, 곱게 다진 마늘 1작은술, 다진 파 1큰술을 넣고 볶아놓는다.
3 숙주는 꼬리를 떼고 끓는 물에 살짝 데친 뒤 찬물에 씻어 물기를 꼭 짜고 참기름 1큰술, 소금 1/5작은술, 다진 파 1큰술, 볶음깨 1큰술을 넣고 조물조물 무쳐놓는다.
4 당근은 채 썰어놓고 양파도 채 썰어놓은 뒤 후라이팬에 참기름 1큰술을 두르고 볶아놓는다.
5 마른 호박오가리는 물에 충분히 불렸다가 끓는 물에 살짝 삶아 찬물에 여러번 헹군 뒤에 곱게 채 썰어 1/2컵 준비한다. 표고버섯도 물에 충분히 불린 뒤 기둥을 떼고 곱게 채 썰어 1/2컵 준비한 뒤에 참기름 1큰술을 후라이팬에 두르고 소금 1/5작은술을 넣고 고슬고슬 볶아놓는다.
6 생미나리는 깨끗이 다듬어 연한 쪽만 골라 송송 썰어 1/2컵 준비한다.
7 달걀 2개는 황백으로 분리하여 후라이팬에 식용유 1큰술 두르고 지단을 부쳐 곱게 채 썰어놓는다.
8 오목한 후라이팬에 참기름 1큰술을 두른 뒤에 준비한 떡을 먼저 넣고 볶다가 "2"부터 "5"까지 모두 넣고 같이 볶을 때 설탕 2큰술, 간장 1큰술, 볶음깨(흰색, 검은색 섞어) 2큰술 넣고 잘 저은 후 불을 끄면서 "6"의 송송 썬 미나리를 넣고 접시에 담는다. 고명으로 잣을 뿌리고 달걀지단채를 올린다.

* 궁중에서 왕이 드시던 맵지 않은 떡볶이는 정월에 먹는 음식이었다. 가래떡이 굳기 전에 요리의 용도대로 갈라두었다가 떡산적, 떡잡채, 떡국 등 굵기를 달리해 정월내내 조리했다고 한다.

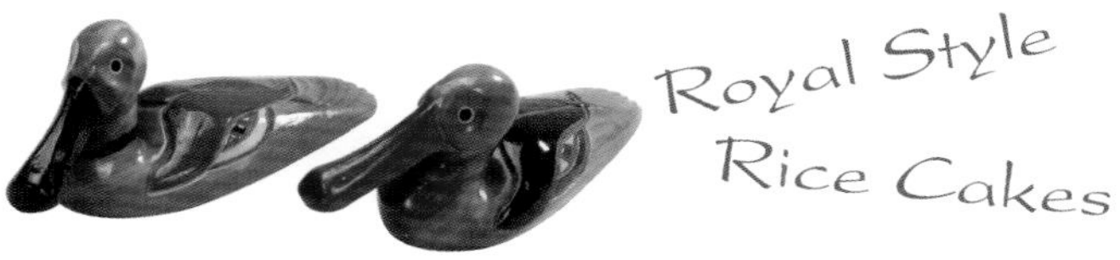


### 5-6 Servings

### Ingredients

| | |
|---|---|
| 20 oz. | rice cakes, 1 package (cakes are about 2 inches long) |
| 3 cups | water |
| 7 tbsp. | sesame oil (mixed use) |
| 1/2 tsp. | salt (mixed use) |
| 3 tbsp. | soy sauce (mixed use) |
| 1/4 lb. | beef, cut in thin strips |
| 1/4 tsp. | black pepper |
| 3 tbsp. | sugar (mixed use) |
| 2 tbsp. | spring onions, chopped (mixed use) |
| 1 tsp. | minced garlic |
| 4 oz. | bean sprouts, tips and roots trimmed, blanched |
| 3 tbsp. | toasted sesame seeds (mixed use) |
| 1/3 cup | carrot strips |
| 1 | medium onion, sliced |
| 1/2 cup | dried pumpkin strips** |
| 1/2 cup | black mushrooms, soaked in warm water, cut in strips |
| 1 tbsp. | cooking oil |
| 1 | egg, separated, yolk lightly beaten |
| 1/2 cup | Chinese celery, cut in 1 inch lengths |
| 1 tbsp. | pine nuts |

### Preparation & Presentation

In boiling water, add 1 tbsp. sesame oil and 1/4 tsp. salt, and cook rice cakes until tender. Rinse in cold water, pat dry and toss with 1 tbsp. sesame oil and 1 tbsp. soy sauce to coat, and set aside.
Mix beef with 1 tbsp. each of soy sauce, sesame oil, spring onion and sugar, 1/4 tsp. black pepper and 1 tsp. minced garlic and quickly stir fry.
Mix bean sprouts gently with 1 tbsp. each sesame oil, spring onions and toasted sesame seeds and a pinch of salt.
Heat 1 tbsp. sesame oil and stir fry carrots, then add and stir fry onion.
Blanch pumpkin in boiling water, rinse, gently squeeze out excess liquid. Heat 1 tbsp. sesame oil and stir fry pumpkin strips, then add mushrooms and season with a pinch of salt.
Heat half the cooking oil in a skillet, add egg whites and make a very thin pancake by tilting the pan to spread the egg. Turn once and remove from pan. Cool slightly and cut in strips. Repeat with egg yolk, and set aside.
In a skillet, heat 1 tbsp. sesame oil, stir fry rice cakes, mix in beef, bean sprouts, carrots, onions, pumpkin and mushrooms. Season with 2 tbsp. sugar, 1 tbsp. soy sauce and 2 tbsp. toasted sesame seeds and, when warmed through, turn off heat and add Chinese celery.
Serve on a platter with eggs strips and pine nuts as garnish.

**Note**

▶▶ In the palace, kings enjoyed this mild dish during January. Before fresh rice cake hardens, it can be sliced or cut in strips to use in various dishes and soups during cold wintry days.

** Available in Korean specialty groceries.

# 궁중 골동반(비빔밥) Royal Palace Rice

## 준비할 재료 [4인분]

소고기 4온즈(100g)
고비 4온즈(100g)
콩나물 4온즈(100g)
표고버섯 4장
다시마(사방5인치) 2장
간장 2큰술
참기름 8큰술
곱게 다진 파 5큰술
후춧가루 ½작은술
달걀 2개
도라지 4온즈(100g)
피클오이 2개
애호박 1개
전감 흰살생선 4온즈(100g)
식용유 ½컵 + 3큰술
국간장 1큰술
곱게 다진 마늘 1½작은술
볶음깨 7큰술
소금 1¾작은술
설탕 큰술

## 밥 짓기

쌀 3컵 + 물 3½컵 (밥 4공기 준비)

## 이렇게 만드세요

1 소고기는 곱게 채 썰어 다져 간장 1큰술, 참기름 1큰술, 곱게 다진 마늘 1작은술, 곱게 다진 파 1큰술, 볶음깨 1작은술, 후추 ¼작은술에 양념하여 볶아 놓는다.
2 도라지는 가늘게 갈라찢어 소금 1작은술에 주물러 씻은 뒤 끓는 물에 데쳐내어 꼭짜고 다진 파 1큰술, 참기름 1큰술, 다진 마늘 ½작은술, 깨소금 1큰술을 넣고 볶아놓는다.
3 고비는 깨끗이 씻어 다진 파 1큰술, 참기름 1큰술, 소금 1/5작은술, 볶음깨 1큰술 넣고 볶아놓는다.
4 피클오이 2개는 반달형으로 썰어 소금 1작은술에 숨죽인 뒤 물기를 꼭 짜고 참기름 1큰술, 볶음깨 1큰술 넣고 조물조물 무쳐둔다.
5 콩나물을 씻어 삶아 건진 후 국간장 1큰술, 다진 파 1큰술, 참기름 1큰술, 깨소금 1큰술에 조물조물 무쳐둔다.
6 애호박은 납작납작 반달형으로 썰고 끓는 물에 살짝 데친 후 참기름 1큰술, 소금 ¼작은술, 볶음깨 1큰술에 무쳐놓는다.
7 표고버섯은 물에 충분히 불린 뒤에 기둥을 떼고 채 썰어 참기름 1큰술, 간장 1큰술, 다진 파 1큰술, 볶음깨 1큰술 넣고 볶아놓는다.
8 흰살생선은 얇은 전감으로 구입하여 전감으로 떠서 소금 ¼작은술을 골고루 뿌리고 후춧가루 1/5작은술도 뿌린 뒤 밀가루를 묻힌 후 달걀 2개를 잘풀어 달걀물을 씌워 전을 부친다. 0.5인치 폭으로 썰고 남은 달걀물은 지단을 부쳐 채 썰어 놓는다.
9 다시마는 식용유 ½컵에 튀겨서 부순 뒤 설탕 ½큰술을 뿌려놓는다.
10 밥엔 참기름 1큰술, 소금 1/5작은술 넣고 고루 비빈 다음 그릇에 나누어담고 위의 준비한 "1"부터 "9"를 색스럽게 담고 상에 낸다.

★ 고추장은 따로 준비한다.
★ 비빔밥에 넣는 나물거리는 제철에 가장 흔하고 맛있는 채소로 3가지 이상을 준비하면 된다.
★ 궁중에서는 비빔밥을 비빔 또는 골동반이라하여 섣달 그믐날에 만들었다 한다.

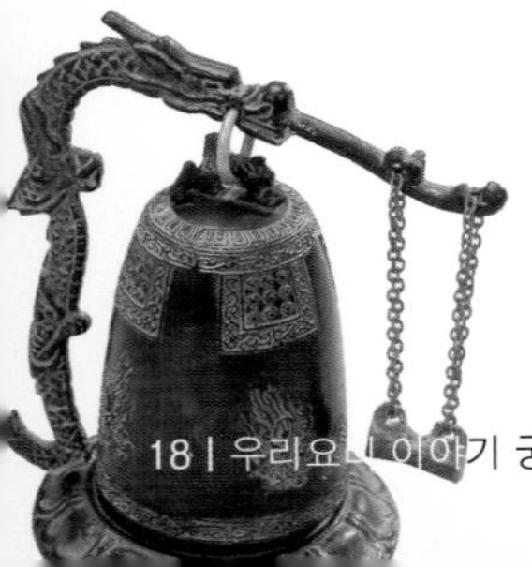

Royal Palace Rice

**4 Servings**

**Ingredients & Preparations**

¼ lb. lean beef, cut in thin strips
1 tbsp. soy sauce
1 tbsp. sesame oil
1 tsp. minced garlic
1 tbsp. chopped spring onion
1 tbsp. toasted sesame seeds
¼ tsp. black pepper
Combine beef with the seasonings and quickly stir fry over high heat and set aside.

¼ lb. bellflower root**, clean, torn in thin strips
1 tbsp. sesame oil
1 tbsp. finely chopped spring onion
½ tsp. finely minced garlic
1 tbsp. sesame seed salt** (kee-so-geum)
Rub bellflower strips with salt, rinse, blanch in boiling water, squeeze out liquid, mix with seasonings and quickly stir fry over high heat and set aside.

¼ lb. precooked royal fern**, cut in 2 inch lengths
1 tbsp. sesame oil
1 tbsp. finely chopped spring onion
1 tbsp. toasted sesame seeds
dash salt
Rinse ferns, squeeze liquid out, mix with seasonings, quickly stir fry over high heat and set aside.

¼ lb. cooked bean sprouts, liquid squeezed out
1 tbsp. sesame oil
1 tbsp. soy sauce
1 tbsp. finely chopped spring onion
1 tbsp. sesame seed salt** (kee-so-geum)
Combine sprouts with seasonings and set aside.

2 pickling cucumbers, cut lengthwise, sliced in half moons
1 tsp. salt
1 tbsp. sesame oil
1 tbsp. toasted sesame seeds
Sprinkle salt on cucumber, let wilt, squeeze out liquid, mix in remaining seasonings and set aside.

1 zucchini, halved lengthwise and sliced
1 tsp. salt
1 tbsp. sesame oil
1 tbsp. toasted sesame seeds
Blanch zucchini in boiling water, squeeze out liquid, mix with seasonings and set aside.

4 dried black mushrooms**, softened in warm water, cut in strips
1 tbsp. sesame oil
1 tbsp. soy sauce
1 tbsp. finely chopped spring onion
1 tbsp. toasted sesame seeds
Mix mushrooms with seasonings, quickly stir fry over high heat and set aside.

¼ lb.        white fish fillet (cod, flounder or similar)
¼ tsp.       salt
dash         black pepper
cooking oil, as needed
½ cup        flour 2 eggs, lightly beaten
Cut fish at a 45° angle in ¼ inch thick pieces, sprinkle with salt and pepper, coat pieces with flour, dip in beaten egg and pan fry both sides until nicely browned. Make a thin pancake with any leftover egg and cut in strips for garnish.

2 sheets dry kelp (each 5 inches square)
½ cup        cooking oil
1 tbsp.      sugar
Heat oil, fry kelp until puffed up, remove, crumble by hand, sprinkle with sugar and set aside.

4 cups cooked rice
1 tbsp.      sesame oil
dash         salt
Combine rice, sesame oil and salt and put 1 cup in each individual serving bowl.

Hot Korean chili paste** as needed

## Presentation

Attractively arrange the nine prepared vegetable and meat dishes on the rice in each bowl. Add hot chili paste to taste, gently stir the food to enjoy all the delicious flavors.

### Note
▶▶ This dish must include three fresh, seasonal vegetables, the rest may be dried or reconstituted, and was the traditional dish of the first moon day in the lunar calendar. When served in the Royal Palace its name is Goal-dong-bahn.

** Available in Korean specialty groceries.

# 궁중 어채 Royal Style Poached Fish

## 준비할 재료 [4인분]

대구 또는 민어(흰살생선) 9온즈(250g)
불린 표고버섯 6장
Sweet 작은고추(빨강, 노랑, 초록) 각각 2개씩(6개)
납작 썬 오이 8피스　　　　　석이버섯 3장
달걀 2개　　　　　　　　　녹말가루 2컵
물 5컵　　　　　　　　　　소금 ¼작은술

## 초고추장 재료

고추장 2큰술　　　　　　　식초 2큰술
물엿 1큰술　　　　　　　　설탕 1큰술
참기름 1큰술　　　　　　　다진 마늘 1큰술
다진 생강 1작은술　　　　　볶음깨 1큰술
통잣 1작은술　　　　　　　다진 잣 1큰술

## 이렇게 만드세요

1  대구 또는 민어(흰살생선)는 좋은 것으로 골라 납작납작하게 한 입 크기로 얇게 저며 소금 ¼작은술을 골고루 뿌려놓는다.
2  표고버섯은 물에 충분히 불린 뒤 기둥을 떼고 모양 그대로 물기를 제거한다.
3  맵지 않은 작은고추(빨강,노랑,초록)는 반으로 잘라 놓고 오이는 납작 하게 썰어놓는다.
4  석이버섯은 물에 충분히 불린 뒤 준비해 놓는다.
5  달걀 2개는 황백으로 나누어 도톰하게 지단을 부친 뒤 넓이 1인치, 길이 1½인치로 썰어놓는다.
6  녹말가루를 "1"부터 "4"의 재료들에 모두 골고루 묻혀둔다.
7  오목한 냄비에 물을 5컵 정도 붓고 물이 끓을 때 가루를 묻혀둔 생 선과 채소들을 데친 다음 찬물 2컵에 재빨리 담갔다가 건져낸다.
8  접시에 "7"의 데친 생선, 야채, 버섯과 달걀지단을 색깔에 맞춰 예 쁘게 담는다.
9  초고추장 재료들을 모두 골고루 섞어 초고추장을 만들어 곁들여 낸다.

## 4 Servings

### Ingredients

| | |
|---|---|
| 9 oz. | cod or similar firm, white fish, sliced in bite sizes |
| ¼ tsp. | salt |
| 2 | eggs, separated, lightly beaten with a fork |
| 6 | dried black mushrooms**, softened in warm water, cut in bite sizes |
| 3 | black and white mushrooms**, cut in bite sizes |
| 2 | red miniature sweet peppers, halved lengthwise, seeded |
| 2 | yellow miniature sweet peppers, halved lengthwise, seeded |
| 2 | green miniature sweet peppers, halved lengthwise, seeded |
| 8 slices | seedless cucumber |
| 2 cups | cornstarch |
| 5 cups | water |

### Dipping Sauce

| | |
|---|---|
| 2 tbsp. | hot Korean chili paste** |
| 2 tbsp. | vinegar |
| 1 tbsp. | corn syrup |
| 1 tbsp. | sugar |
| 1 tbsp. | sesame oil |
| 1 tbsp. | finely minced garlic |
| 1 tsp. | finely minced ginger |
| 1 tbsp. | toasted sesame seeds |
| 1 tsp. | pine nuts |
| 1 tbsp. | pine nuts, chopped |

### Preparation & Presentation

Lightly sprinkle fish with salt.  Make a thin, about ¼ inch thick, egg white pancake. Repeat with the egg yolks. Cut egg pancakes in 1 x 1½ inch pieces.
Coat fish, mushrooms, peppers and cucumber with cornstarch. Boil water in a pot. Quickly cook each piece of fish and coated vegetable, remove and drop in ice cold water to stop the cooking. Mix Sauce ingredients (can be done ahead of time) and put in serving bowl.
Arrange the fish, white and yellow egg pieces and vegetables attractively on a serving platter. At the table, dip each bite in sauce and enjoy!

** Available in Korean specialty groceries.

*Royal Style Poached Fish*

*The Royal Court Cusine and Well-Being Food*

# 궁중 잡채 Royal Style Stir Fried Noodles

## 준비할 재료 [10-12인분] 🌱

| | | |
|---|---|---|
| 당면 1파운드(16온즈) | 소고기 4온즈(100g) | 양파 1개 |
| 도라지 4온즈(100g) | 표고버섯 7장 | 목이버섯 ½컵 |
| 오이 6온즈(150g) | 당근(채썰어) 1컵 | 달걀 1개 |
| 식용유 5큰술 | 다진 파 2큰술 | 잣 1큰술 |
| 볶음깨 2큰술 | 다진 마늘 1작은술 | 간장 3큰술 |
| 참기름 4큰술 | 후춧가루 ¼작은술 | 소금 2½작은술 |

## 잡채 마무리 양념

| | | |
|---|---|---|
| 참기름 ½컵 | 흑설탕 3큰술 | 간장 2큰술 |

## 이렇게 만드세요

1 큰 냄비에 물 12컵을 붓고 팔팔 끓을 때 당면을 넣고 반짝반짝하게 삶아 찬물에 헹군 뒤에 덤썩덤썩 썰어 진간장 2큰술, 참기름 2큰술에 무쳐놓는다.

2 소고기는 곱게 채 썰어 간장 1큰술, 참기름 1큰술, 깨소금 1큰술, 후춧가루 ¼작은술, 다진 마늘 1작은술, 다진 파 1큰술을 넣고 잘 무친 뒤 후라이팬에 볶는다.

3 양파는 채 썰어 놓고 도라지는 소금 1작은술에 바락바락 주물러 물기를 꼭 짜고 찬물에 여러번 헹구어 다시 꼭 짠다. 참기름 1큰술을 후라이팬에 두르고 양파와 도라지를 같이 볶다가 다진 파 1큰술을 넣고 식혀둔다.

4 표고버섯은 물에 충분히 불렸다가 기둥을 뗀 뒤 채 썰고, 목이버섯은 물에 충분히 불린 뒤 깨끗이 씻으면서 한 잎씩 떼어낸다. 후라이팬에 참기름 1큰술을 두르고 표고버섯과 목이버섯, 소금 1/5작은술을 넣고 볶아놓는다.

5 씨없는 오이는 반달형으로 썰고 소금 1작은술을 뿌려 숨을 죽인 뒤 꼭 짠다. 너무 짜면 찬물에 한 번 씻어 꼭 짠다. 당근은 곱게 채 썰어 후라이팬에 참기름 1큰술을 두르고 먼저 볶다가 소금에 절여 꼭 짜놓은 오이를 넣고 같이 볶아내어 식힌다.

6 달걀 1개는 황백으로 갈라 지단을 부친 뒤 채 썰어 놓는다.

7 후라이팬에 식용유 2½큰술을 먼저 두르고 자작자작할 때 "1"의 당면중 ½을 넣고 한참 볶는다. 노릇노릇, 반질반질할 때까지 센 불에서 볶아낸다. 나머지 당면도 같은 방법으로 볶는다. 두 번에 나누어 볶으면 훨씬 잘 볶인다.

8 오목하고 큰 그릇에 달걀지단을 제외한 모든 재료의 준비된 것을 넣고 마무리 양념을 분량대로 넣는다. 야채와 당면이 골고루 섞이도록 무친 후 볶음깨를 골고루 넣는다.

9 큰 접시에 담고 위에 고명으로 "6"의 달걀지단을 얹은 후 잣을 뿌린다.

★ 궁중에서는 겨울 장국상 차릴 때 꼭 잡채가 들어갔다. 주안상 차리기 9품 찬품에 잡채가 들어간다.

★ 궁중음식의 특징: 소고기와 표고버섯을 꼭 같이 쓰므로 상승된 감칠맛이 있다.

## 10-12 Servings

### Ingredients

| | |
|---|---|
| 1 lb. | transparent noodles |
| 12 cups | water |
| 5 tbsp. | sesame oil(mixed use) |
| 3 tbsp. | brown sugar |
| 2 tbsp. | dark soy sauce |

### seasoning Mix

| | |
|---|---|
| 1 tbsp. | sesame oil |
| 1 tbsp. | crushed sesame seed salt |
| 1 tbsp. | dark soy sauce |
| ¼ tsp. | black pepper |
| 1 tsp. | minced garlic |
| 2 tbsp. | chopped spring onion |
| ¼ lb. | lean beef, cut in thin strips |
| 1 | medium onion, sliced |
| ¼ lb. | bellflower root (do-rah-ji*) |
| 2¼ tsp. | salt (mixed use) |
| 1 tbsp. | spring onion, chopped |
| 7 | black mushrooms, soaked in warm water, rinsed, drained, cut in thin slices |
| ½ cup | woodear mushrooms, soften in warm water, rinsed, drained, torn in bite sizes |
| 6 oz. | cucumber, cut in thin strips |
| 1 cup | carrots, cut in strips |
| 1 | egg, separated, with yolk lightly beaten |
| 5 tbsp. | cooking oil |
| 2 tbsp. | pine nuts for garnish |

## Preparation & Presentation

Blanch noodles in 12 cups boiling water, 2-3 minutes, rinse under cold water, drain well and cut in random, 2-5 inch, lengths. Toss gently with 2 tbsp. each of sesame oil and dark soy sauce, and set aside.

Mix seasonings and toss with beef. In a hot skillet, stir fry seasoned beef until done and set aside.

Rub bellflower root with 1 tsp. salt, rinse and squeeze well. Heat 1 tbsp. sesame oil in a skillet, stir fry onion 1 minute, add bellflower root and stir fry until well heated. Add spring onion, stir and set aside.

Heat 1 tbsp. sesame oil in a skillet, stir fry black mushrooms and woodear mushrooms, season with salt to taste, and set aside.

Sprinkle 1 tsp. salt over cucumber, let stand 5-10 minutes and gently squeeze out liquid. Heat 1 tbsp. sesame oil in a skillet, stir fry carrot strips 1 minute, add cucumber, stir fry another minute and set aside.

Heat half the cooking oil in a skillet, add egg whites and make a very thin pancake by tilting the pan to spread the egg. Turn once, remove from pan, cool pancake slightly and cut in strips. Repeat with egg yolk.

To serve, gently yet thoroughly toss the noodles with the rest of the prepared ingredients except the egg strips and pine nuts. Correct the seasoning if needed. Garnish with egg strips and top with pine nuts.

### Note

▶▶ This is one of the essentials for a standard nine dish royal table menu!

Royal Style Stir Fried Noodles

# 궁중 미나리 강회 Royal Style Chinese Celery Bundles

## 준비할 재료 [3–4인분] 🌱

미나리 7온즈(200g)
소고기(우둔살) 3.5온즈(100g)
붉은 고추 2개

소금 1/5작은술
달걀 2개
잣 2큰술

## 양념초고추장 재료

고추장 2큰술
곱게 다진 마늘 1작은술
설탕 2큰술
물엿 1큰술

식초 1큰술
곱게 간 생강 ½작은술
곱게 다진 파 1큰술
잣가루 1큰술

## 이렇게 만드세요

1 미나리는 연한 줄기를 준비하고 잎이나 단단한 줄기는 떼어낸다.
2 끓는 물 4컵에 소금 1/5작은술을 넣고 파릇파릇하게 데친 뒤 찬물
   에 헹구어 물기를 꼭 짜둔다.
3 소고기는 덩어리째 삶아 건져 길이 2인치, 넓이 0.5인치가 되도록
   막대기 모양으로 썰어놓는다.
4 달걀 2개는 황백으로 나누어 두껍게 지단을 부쳐서 "3"의 소고기
   모양으로 썰어놓는다.
5 붉은 고추는 씨를 빼고 편육과 같이 썰어둔다.
6 데친 미나리의 줄기를 잡고 고기, 지단, 고추를 끝에서 맞추어 잡아
   돌돌 밑으로만 감는다. 위에는 족두리 모양으로 다 보이게 감아준다.
7 접시에 강회를 모양있게 담고 초고추장을 곁들인 뒤 잣을 강회 위
   에 올린다.

## 영양상식

▶▶ 미나리 – 향기가 상큼하고 씹는 맛이 좋은 대표적인 봄나물. 독특
   한 향이 나는 정유성분은 입맛을 돋구어 주고 정신을 맑
   게 하고 혈액을 보호한다. 철분이 풍부하며 혈압강하, 해
   독작용이 있어 고혈압, 동맥경화, 황달 등의 증세에 효과
   가 있다.

## 3-4 Servings

### Ingredients

| | |
|---|---|
| 7 oz. | Chinese celery, no leaves or tough stalks |
| pinch | salt |
| ¼ lb. | beef rump roast |
| 2 | eggs, separated, lightly beaten |
| 2 | hot red chilies, seeds removed, cut in strips |

### Dipping Sauce

| | |
|---|---|
| 2 tbsp. | hot Korean chili paste** |
| 1 tbsp. | vinegar |
| 1 tsp. | finely minced garlic |
| ½ tsp. | finely minced ginger |
| 1 tbsp. | finely chopped spring onion |
| 2 tbsp. | sugar |
| 1 tbsp. | corn syrup |
| 1 tbsp. | pine nuts for garnish |

### Preparation & Presentation

Using only tender celery stems, blanch them in boiling water with a pinch of salt, rinse in cold water, squeeze out any water and set aside for use as ties.

Cover rump roast with water and cook over low heat until done. Remove meat and cut in strips about ½ inch x ½ inch x 2 inches long.

Cook egg whites to make a pancake, turn once, remove and cut similarly to beef. Repeat with yolks.

Mix dipping sauce ingredients and pour in a small serving bowl. Stack 1 strip each of beef, egg white, egg yolk and chili and, starting at one end, wrap a celery stem around the bundle up to the middle and tie, leaving the top half untied to fan out and show the colors.

Garnish the tops with pine nuts and serve these tasty bundles with dipping sauce on the side.

### Note

▶▶ The showy tops of the bundles are reminiscent of a Korean bride's wedding hat.

** Available in Korean specialty groceries.

*Royal Style*
*Chinese Celery Bundles*

*The Royal Court Cusine*
*and Well-Being Food*

# 궁중 다시마 부각　Royal Style Fried Kelp

## 준비할 재료 🌱

다시마(세로 2인치) 20장　　　찹쌀 1컵
물 1½컵　　　　　　　　　　소금 1/5작은술
설탕 1큰술　　　　　　　　　튀김기름 2½컵

## 이렇게 만드세요

1　찹쌀 1컵과 물 1½컵으로 찰밥 1컵을 만든다.
2　다시마는 마른 수건으로 잡티를 닦아낸 뒤 한 쪽면에 만들어 놓은 찰밥을 조금씩 붙이고 큰 소쿠리에 짝 담아 소금을 뿌린 뒤 말린다.
3　식용유(튀김기름)에 "2"의 다시마를 바삭하게 튀긴 다음 뜨거울 때 설탕을 골고루 뿌려 접시에 담아 낸다.

## 영양상식

▶▶ 다시마 – 섬유질이 풍부하며 이 섬유질이 대장의 운동을 도와 음식물과 유해물질을 빨리 배설하게 도와준다. 면역력을 증강시켜 암과 각종질병도 예방해준다. 특히 갑상선 호르몬의 재료인 요오드의 함유량은 해조류 중에 으뜸이다. 비타민 A, B도 풍부하다.

## Ingredients

| | |
|---|---|
| 1 cup | glutinous rice, well washed |
| 1½ cups | water |
| 20 sheets | dried kelp** , cut in 2 inch squares |
| pinch | salt |
| 2½ cups | cooking oil |
| 1 tbsp. | sugar |

## Preparation & Presentation

Use a rice cooker to prepare the rice with the water.
Wipe each piece of kelp with a towel and carefully smear rice on one side of each piece of kelp so mostly, but not completely, covered. Sprinkle salt over rice and let dry until rice is hard.
Heat oil and fry kelp. Remove from oil and, while still warm, sprinkle the sugar on top. Serve as a royal style side dish!

** Available in Korean specialty groceries.

The Royal Court Cusine
and Well-Being Food

Royal Style
Fried Kelp

# 궁중 곶감쌈 Royal Style Dried Persimmon with Walnuts

## 준비할 재료 🌱

곶감 6개                호도 8개                물엿 1큰술

## 이렇게 만드세요

1  곶감은 꼭지를 떼고 밑부분을 약간 썰어낸 다음 씨를 빼고 넓게 펴
   둔다.
2  곶감 속에 물엿을 약간 바르고 호도를 집어넣어 김밥 싸듯이 꼭꼭
   누르면서 돌돌 만다.
3  랩(Plastic Wrap)을 감아 모양을 고정시킨 뒤에 냉동실에 넣어둔다.
   차게되면 호도알이 박힌 곶감을 0.5인치 두께로 썬 뒤에 랩을 벗
   긴다. 모양이 흐트러지지 않는다.
4  접시에 모양있게 담는다.

★ 감의 떫은 맛은 타닌 성분 때문이다. 설사를 멎게하는 데는 감이나
   말린 곶감이 좋다.

## Ingredients

| | |
|---|---|
| 6 | dried persimmons* |
| 1 tbsp. | corn syrup |
| 6 | whole walnuts, or as needed |

## Preparation & Presentation

Remove stems from persimmons, carefully open and remove seeds. Coat the insides with corn syrup. Add at least one walnut (2 halves) to each persimmon, roll up and wrap each in plastic wrap. Refrigerate until well chilled. Remove plastic wraps and slice each roll in half. Enjoy this dish as a tasty snack.

# 궁중 맥적 Royal Style Broiled Pork

## 준비할 재료 [4-5인분]

돼지고기목살 1파운드(454g)  부추(송송 썰어) 1컵
달래(송송 썰어) 1컵         마늘 4쪽
상추 12장

## 양념 재료

된장 1½큰술      물 2큰술
국간장 1큰술      정종 2큰술
조청 1큰술        흑설탕 2큰술
참기름 2큰술      깨소금 1큰술

## 이렇게 만드세요

1  돼지고기는 0.5인치 두께로 썰어 잔 칼집을 넣는다.
2  송송 썬 부추와 달래는 1컵씩 준비한다.
3  마늘 4쪽은 넙적하게 마늘 입자가 보이도록 굵게 저민다.
4  된장 1½큰술에 물 2큰술을 넣고 잘 풀어준 뒤에 국간장, 정종, 조청, 흑설탕, 참기름, 깨소금을 분량대로 넣고 잘 혼합한다.
5  돼지고기에 달래, 부추, 마늘, "4"의 양념장을 모두 넣고 버무린다.
6  양념이 배이면 석쇠(직화)에 굽고, 먹기 좋은 크기로 썰어 상추에 싸서 먹는다.

★ 맥적: 부족국가 시대의 우리 민족인 맥족이 해 먹던 구이음식으로 중국에서도 귀인이나 부귀한 집의 잔치에 쓰였다고 한다. 조미해서 구워 먹으므로 불고기의 원조라고 할 수 있다.

## 4-5 Servings

### Ingredients

| | |
|---|---|
| 1 lb. | pork neck meat |
| 1 cup | Chinese garlic chives, cut in 1-1½ inch lengths |
| 1 cup | ramps, cut in 1-1½ inch lengths |
| 4 | garlic cloves, sliced |
| 12 | lettuce leaves |

### Marinade

| | |
|---|---|
| 1½ tbsp. | Korean bean paste** |
| 2 tbsp. | water |
| 1 tbsp. | light Korean soy sauce** (soy sauce for soup) |
| 1 tbsp. | Korean syrup (Cho-chung)** |
| 2 tbsp. | brown sugar |
| 2 tbsp. | sesame oil |
| 1 tbsp. | seasoned sesame seed powder** |

### Preparation & Presentation

Slice pork ½ inch thick and cut a few slits without cutting through. Mix marinade ingredients in a bowl and add pork, ramps, chives and garlic. Let stand an hour or so before cooking meat under the broiler. At the table, place a slice of pork on a lettuce leaf wrap and enjoy.

** Available in Korean specialty groceries.

# 궁중 조랭이 떡국 Royal Style Rice Cake Soup

## 준비할 재료 [2인분]

조랭이떡 1파운드(454g)       물 22컵
소고기(사골, 양지, 등심 합쳐서) 1파운드(454g)
감초뿌리 3조각            소금 1/5작은술
달걀 1개               대파 썰어 3큰술
국간장 2큰술            후춧가루 1/5 작은술
곱게 다진 마늘 1½작은술     다진 파 1작은술
참기름 1큰술

## 이렇게 만드세요

1  조랭이떡을 찬물 6컵에 담갔다가 냄비에 물을 붓고 삶아서 건진
   뒤 참기름 1큰술에 비벼 놓는다.
2  소고기(양지, 사골, 등심)는 찬물에 담가 핏물을 뺀 뒤에 물 6컵에
   사골만 먼저 넣고 끓인다. 첫 번 끓인 물은 버리고 물 10컵을 다시
   부어 사골이 뽀얗게 우러나면 양지육과 등심을 넣는다. 감초뿌리 3
   조각을 넣고 고기가 푹 무르게 삶아지면 감초는 버린다.
3  고기(양지육과 등심)는 건져서 찢은 뒤(1컵 정도) 국간장 1큰술, 다
   진 파 1작은술, 다진 마늘 ½작은술, 후춧가루 1/5 작은술에 조물
   조물 무쳐둔다.
4  "2"의 고기 국물은 냉장고에서 식혀 기름이 하얗게 뜨면 걷어버리
   고 국간장 1큰술, 소금 1/5작은술을 넣는다.
5  달걀은 황백으로 나누어 지단을 부치고 완자형으로 썰어둔다.
6  "4"의 국물을 끓이다가 잘게 썬 대파 3큰술을 넣고 "1"의 조랭이
   떡과 마늘 1작은술을 넣고 떡이 위로 떠오르면 그릇에 담은 뒤 양
   념한 고기와 지단을 얹는다.

★ 산적을 만들어 올리기도 한다.
★ 조랭이떡: 누에고치 모양을 본떠서 만든 것으로 길(吉)함을 뜻하는
   전래식품이다.

*Royal Style Rice Cake Soup*

## 2 Servings
## Ingredients

| | |
|---|---|
| 1 lb. | Korean rice cakes** (peanut shell shaped) |
| 6 cups | water |
| 1 tbsp. | sesame oil |
| 1 lb. | beef cuts for stock (shin bone, brisket or neck bones) |
| 16 cups | water, mixed uses or more as needed |
| 3 pieces | licorice root |
| 1 tbsp. | soy sauce |
| 1 tsp. | chopped spring onion |
| ½ tsp. | minced garlic |
| dash | black pepper |
| 1 | egg, separated, lightly beaten |
| 1 tbsp. | soy sauce |
| pinch | salt |
| 3 tbsp. | chopped leek |
| 1 tsp. | minced garlic |

## Preparation & Presentation

Soak rice cakes in 6 cups water in a pot 30 minutes, then cook until softened. Drain, coat with sesame oil and set aside.

Cover beef with water, soak 30 minutes and then rinse. Boil 6 cups water, add only shin bone. When again boiling, discard water, clean pot, return the bone with 10 cups water and bring to a boil. When water turns milky, add beef brisket and licorice root. When meat is tender, remove it, discard licorice and chill the stock in the refrigerator. Shred meat by hand to make about 1 cup and add 1 tbsp. soy sauce, the spring onion, garlic and black pepper.

Make a thin egg white pancake, cool and cut in strips. Repeat with egg yolks.

Skim any fat from chilled stock, boil with 1 tbsp. soy sauce and pinch of salt. Add leeks, 1 tsp. garlic and rice cakes. When rice cake floats to surface, this dish is ready to serve.

Ladle rice cake soup in individual bowls, top each with shredded meat and garnish with egg strips.

### Note
▶▶ These rice cakes, although shaped like peanut shells; were originally designed to resemble a butterfly's cocoon and were served to Korean royalty as symbols of wealth and good luck.

# 궁중 비빔밥 Royal Style Rice with Vegetables

## 준비할 재료 [4인분] 🌱

| | | |
|---|---|---|
| 소고기 100g(2온즈) | 표고버섯 5장 | 애호박 1개(1파운드) |
| 다시마 8인치 사방 | 콩나물 200g(7온즈) | 달걀 2개 |

## 비빔양념장 재료

| | | |
|---|---|---|
| 간장 2큰술 | 곱게 다진 마늘 1작은술 | 설탕 1큰술 |
| 참기름 2큰술 | 다진 파 1큰술 | 깨소금 1큰술 |

## 밥 짓기

* 소요시간: 35-40분   쌀 3컵 + 물 3½컵 + 참기름 1큰술

## 이렇게 만드세요

1  밥을 지을 때 참기름 1큰술을 넣고 밥을 한다.
2  소고기는 곱게 채 썰어 갖은 양념(소금 1/5작은술, 후추 ⅛작은술, 설탕 1큰술, 참기름 1큰술)을 넣는다. 물에 충분히 불린 표고버섯은 곱게 채썰어 소고기와 같이 조물조물 간이 배게 무쳐서 재운 후 팬에서 고슬고슬하게 볶아놓는다. 호박은 반달썰기해서 소금 ⅛작은술에 살짝 절였다가 물기를 꼭 짠 뒤에 참기름에 볶아놓는다. 콩나물은 깨끗이 씻어 발을 따고 냄비에 담아 물을 약간 부어서 뚜껑을 덮어 삶는다. 식힌 후 소금 1/5작은술과 참기름 2큰술을 넣고 무친다.
3  달걀은 잘 풀어 얇게 지단을 부치고 곱게 채 썰어놓고 다시마는 반으로 잘라 기름에 튀겨서 부순 뒤에 설탕 1큰술을 뿌려주어 다시마 튀각을 만든다.
4  그릇에 밥을 적당히 담고 밥 위에 볶은 호박, 삶아 무친 콩나물, 볶은 소고기와 표고버섯을 맛깔스럽게 올린 뒤 튀겨서 부순 다시마와 곱게 채썬 지단을 올리고 양념장에 비벼 먹는다.

★ 궁중비빔밥의 특징은 나물이 꼭 2가지가 들어가는 것, 소고기와 표고버섯을 같이 볶는 것과 튀각을 튀겨 곱게 부셔올리는 것이라 할 수 있다. 이렇듯 간단하지만 영양이 골고루 들어있는 것이 특징이며 특히 담백하고 깔끔한 것이 요즘의 비빔밥과 비교된다.   또한 고추장으로 비빔을 하지 않고 양념장을 만들어 쓰는 것이 이색적이다.

## 영양상식

▶▶ 호박의 영양가는 주성분은 당질이지만 비타민 A와 C가 풍부하다. 콩나물 또한 식물성 섬유와 칼슘, 철분 등이 풍부하며 줄기에는 비타민 C가 풍부하다. 표고버섯은 특유의 향긋한 맛과 향때문에 많은 이에게 사랑받고 있으며 다시마는 섬유질이 풍부하여 대장의 운동을 잘 도와주며 유해물질을 빨리 배설하는 역할을 한다.

## 4 Servings
### Ingredients

| | |
|---|---|
| 3 cups | rice, washed, drained |
| 3½ cups | water |
| 1 tbsp. | sesame oil |
| 4 oz. | lean beef, cut in strips |
| pinch | salt |
| dash | black pepper |
| pinch | sugar |
| dash | sesame oil |
| 5 | black mushrooms**, softened in water, cut in strips |
| 1 | zucchini, cut in half moons |
| ¼ tsp. | salt |
| 1 tbsp. | sesame oil |
| ½ lb. | soybean sprouts**, tops and roots trimmed, cooked and drained |
| pinch | salt |
| 2 tbsp. | sesame oil |
| 2 | eggs, lightly beaten |
| 1 sheet | kelp, 6 inches square, crumbled |
| 1 tbsp. | sugar |

### Seasoned Paste

| | |
|---|---|
| 2 tbsp. | soy sauce |
| 2 tbsp. | sesame oil |
| 1 tbsp. | sugar |
| 1 tbsp. | chopped spring onion |
| 1 tsp. | minced garlic |
| 1 tbsp. | sesame seed salt |

### Preparation & Presentation

Cook rice in a rice cooker 35-40 minutes or until done.
Season the beef with a pinch of salt, pepper, sugar and sesame oil. Add black mushrooms, combine well, quickly stir fry over high heat and set aside.  Sprinkle zucchini with ½ tsp. salt, let sit briefly, squeeze lightly, stir fry in sesame oil and set aside. Season sprouts with a pinch of salt, heat 2 tbsp. sesame oil, stir fry sprouts and set aside.
Cook the eggs into a thin pancake, cut in strips and set aside. Sprinkle kelp with sugar and set aside.
Mix the seasoned paste ingredients thoroughly and put in a small serving bowl. In larger individual serving bowls, put ¾-1 cup rice, then artfully arrange the beef, mushrooms, zucchini, sprouts, egg strips and kelp on top.  Add seasoned paste to taste, stir to mix the flavors and enjoy!

### Note
▶▶ Characteristics of the Royal style are to use 2 vegetables and always to stir-fry beef and mushrooms together.

Royal Style
Rice with Vegetables

# 가지찜 Braised Eggplant

## 준비할 재료 [2-3인분]

한국산 가지 3개
소고기(살코기) 50g(2온즈)
– 양념 / 간장 2큰술, 설탕1 큰술, 다진 마늘 1큰술
　　　　다진 파 1큰술, 후추 ⅛작은술
　　　　깨소금 1작은술, 참기름 1큰술
육수 1컵(간장 ½큰술)　　　　파 1줄기
실고추 1작은술　　　　　　　잣 1큰술
달걀 1개(지단부침)

## 이렇게 만드세요

1 가지는 2인치 길이로 자른 뒤 양끝을 조금 남기고 세 군데쯤 칼집을 넣어 소금 1작은술에 절인 뒤 찬물에 흔들어 씻어 꼭 짜둔다.
2 소고기 살코기는 곱게 다져 간장 2큰술, 설탕 1큰술, 다진 마늘 1큰술, 다진 파 1큰술, 후추 ⅛작은술, 깨소금 1작은술, 참기름 1큰술을 넣고 잘 무쳐서 속을 만든다.
3 절인 가지에 양념해 둔 소고기를 칼집 사이사이에 꼭꼭 채워넣은 다음 냄비에 가지런히 놓고 육수 1컵에 간장 ½큰술을 자작하게 부은 뒤 끓인다.
4 가지가 부드럽게 익으면 곱게 썬 파채와 실고추를 얹은 뒤 달걀지단을 얹고 잣을 뿌린다음 예쁜 접시에 담아 상에 낸다.

## 영양상식

▶▶ 가지는 주성분이 수분과 당질이다. 제철은 7, 8월인데 늦가을에 더욱 달고 연하며 칼슘과 철분 등 무기질은 풍부하다. 하지만 비타민 함량이 낮아 영양가치는 그리 높지 않다. 가지의 조직은 스펀지 상태여서 기름을 잘 흡수하므로 기름과 함께 조리하여 가지의 부족한 영양을 보충한다.
특히 식물성 기름을 사용할 경우 리놀레산과 비타민도 함께 섭취할 수 있어 좋고 몸을 차게 해주는 여름 채소로 씹히는 질감이 좋아서 많은 이들이 즐겨 먹는다.

## 2-3 Servings

### Ingredients

| | |
|---|---|
| 3 | thin Asian eggplants*, each 6 inches long, cut in 2 inch pieces (tube shaped) |
| 1 tsp. | salt |
| ½ cup | lean ground beef |

### Seasoning

| | |
|---|---|
| 2 tbsp. | soy sauce |
| 1 tbsp. | sugar |
| 1 tbsp. | chopped spring onion |
| 1 tbsp. | sesame oil |
| 1 tsp. | sesame seed salt |
| ¼ tsp. | black pepper |
| 1 cup | meat stock (broth) |
| ½ tbsp. | soy sauce |
| 1 | spring onion, trimmed, cut in strips |
| 1 | egg, lightly beaten |
| ½ tsp. | dried red chili thread** |

### Preparation & Presentation

Leaving ends intact, make a cut through the middle of each tube of eggplant, rotate tube 1 quarter turn and make another cut, again only through the middle. Sprinkle with salt and let stand until weeping. Rinse and gently squeeze out the liquid.
Mix beef with seasonings and stuff eggplant by pushing in both ends of a tube to open the cuts.
Place stuffed tubes in a shallow skillet, add stock and soy sauce, cover and cook until nicely tender.
Make a thin pancake with the egg, cool and cut in strips for garnish.
To serve, carefully remove stuffed eggplants to a platter and garnish with egg strips and chili threads.

* Available in Asian groceries.
** Available in Korean specialty groceries.

Braised Eggplant

# 녹차, 바닷가재 몸통 꼬리요리 Lobster in Green Tea Sauce

## 준비할 재료 [2인분] 🌿

Lobster Tail 1개(150g)(5온즈)
녹인 버터 ½큰술
후추 ¼작은술

녹말가루 3큰술
통마늘 5개
식용유 3큰술

## 소스 재료

키위 2개
Sweet Mustard ½큰술
녹말물 1큰술

물에 불린 녹차 ⅓컵
설탕 1큰술
맛소금 ¼작은술

## 이렇게 만드세요

1  철갑같이 딱딱한 가재를 몸쪽으로 가위질을 해서 가재몸살을 완전히 꺼내어 깨끗이 헹군 뒤 덤썩덤썩 12피스 정도로 썰어 후추를 뿌리고 녹말가루에 묻혀둔다. 가재껍질은 끓는 소금물에 살짝 데쳐내어 껍질색이 빨갛게 되게 한 후에 종이타올로 자근자근 눌러서 예쁜 접시에 뱃쪽이 위로 오도록 담아놓는다.

2  판판한 후라이팬에 식용유 3큰술, 녹인 버터½큰술, 마늘 5쪽(썰어서 15피스)을 넣는다. 마늘기름이 자작자작할 때 녹말가루에 묻혀둔 가재를 앞뒤로 골고루 노릇노릇 지져서 그릇에 담고 마늘은 버린다.

3  키위 2개는 껍질을 벗기고 납작하게 썰어 녹차 ⅓컵과 같이 믹서에 곱게 갈아 냄비에 담는다. Sweet Mustard ½큰술, 설탕 1큰술, 맛소금 ¼작은술을 넣고 끓이다가 팔팔 끓을 때 녹말물을 1큰술 정도 넣고, 걸쭉해지면 불을 끈 뒤 완성된 소스에 지져놓은 가재 12피스를 담근다. 골고루 섞은 뒤 소금물에 살짝 데친 가재껍질 속에 차곡차곡 담는다.

★ 녹차의 향과 키위의 싱그러움이 깃든 최고의 요리가 된다.

## 2 Servings

### Ingredients

| | |
|---|---|
| 1 | lobster tail in shell, about 5 ounces |
| | salted water for cooking |
| ¼ tsp. | black pepper |
| 3 tbsp. | cornstarch |
| 3 tbsp. | cooking oil |
| ½ tbsp. | melted butter |
| 5 | garlic cloves, sliced |

Sauce

| | |
|---|---|
| ⅓ cup | green tea, room temperature |
| 2 | kiwis, peeled and pureed |
| 1 tbsp. | sugar |
| ½ tbsp. | sweet mustard |
| ¼ tsp. | Korean seasoned salt** (math-so-geum) |
| 1 tbsp. | cornstarch |
| 1 tbsp. | water |

### Preparation & Presentation

Use kitchen scissors to cut out the white, underside of the lobster shell and keep the rest intact for use as a serving bowl. Remove the meat, rinse well, remove the vein, and cut in 12 bite size pieces.
Boil the empty shell in salted water until it turns bright red. Remove, rinse in running water and dry with paper towels.
Mix pepper and cornstarch and coat the lobster meat. Heat cooking oil and butter in a skillet and stir fry garlic 1 minute. Saute the coated lobster until nicely browned. Discard the garlic.
In a saucepan, bring the first 5 sauce ingredients to a boil. Mix the cornstarch and water, add to the sauce to thicken, stir and gently combine with the lobster meat.
Place the lobster shell, cavity side up, on a platter and fill with sauced meat.  Serve and enjoy!

### Note
▶▶ The combination of green tea and kiwi creates a refreshing and unusual taste.

** Available in Korean specialty groceries.

Lobster in Green Tea Sauce

# 녹차가루 매운 꽃게 튀김요리 Fried Spicy Blue Crabs

### 준비할 재료 [4-5인분]

꽃게몸통 12온즈(350g)
녹차가루 1/4작은술
식용유 3컵
레몬 1/4쪽
녹말가루 1컵
튀김가루 1컵
물 1컵

### 소스 재료

Hot Chili Oil 1큰술
참기름 1큰술
물엿 1큰술
후추 1/4작은술
Hot Chili Sesame Oil 1/2큰술
Oyster Sauce(굴소스) 1/2큰술
고춧가루 1큰술
고추장 1 1/2큰술
포도주 1큰술
아몬드가루 1큰술
육수 1/3컵
녹말물 2큰술
Sweet & Sour Sauce(東)(LACHOY brand) 2큰술

### 이렇게 만드세요

1 꽃게는 잔발가락을 가위로 잘라버린다. 집게발가락의 껍질이 매우 단단하므로 집게로 한번씩 꽉 찝어주고 깨끗이 씻은 뒤 레몬 1/4쪽을 뿌린다.
2 녹말가루 1컵과 녹차가루 1/4작은술을 잘 섞은 뒤에 손질한 꽃게에 골고루 묻혀둔다. 튀김가루 1컵에 물 1컵을 넣고 잘 저은 뒤에 녹말가루와 녹차가루에 묻혀 둔 꽃게를 튀김물에 적셔 170℉의 식용유에 바삭바삭하게 튀겨낸다.
3 넓고 오목한 후라이팬에 소스재료를 모두 혼합하여 팔팔 끓인 뒤 끓인 소스 중 4큰술은 따로 그릇에 담아놓고 나머지 소스에 튀겨놓은 게를 모두 넣고 골고루 묻힌다. 살살 저은 후에 불을 끄고 큰 접시에 담아낸다.(소스가 너무 많으면 아삭아삭하지 않다)

★ Sweet & Sour Sauce(東)(LACHOY brand), 중국 제품은 동양식품에서 구입
★ 남은 소스는 냉동에 보관(1년 이상 무관함)

### 영양상식

▶▶ 게는 필수아미노산이 풍부하며 지방함량이 적어 맛이 담백하고 소화도 잘된다. 타우린이 풍부하여 고혈압, 심장병, 간장병 등 각종 성인병에 효과가 있고, 강한 산성식품이므로 채소와 함께 먹는 것이 좋다.

### 4-5 Servings

### Ingredients

| | |
|---|---|
| 3/4 lb. | baby blue crabs**, shells 2-3 inches wide |
| 1/4 | lemon |
| 1 cup | cornstarch |
| 1/4 tsp. | green tea powder* |
| 1 cup | seasoned flour mix for frying** |
| 1 cup | water |

### Sauce

| | |
|---|---|
| 1 tbsp. | hot chili oil* |
| 1 tbsp. | sesame oil |
| 1 tbsp. | corn syrup |
| 1/3 cup | meat stock |
| 1/2 tbsp. | hot chili sesame oil* |
| 2 tbsp. | sweet and sour sauce (LaChoy brand) |
| 1/2 tbsp. | oyster sauce |
| 1 tbsp. | rice wine |
| 1 tbsp. | Korean hot chili powder** |
| 1 1/2 tbsp. | Korean hot chili paste** |
| 1 tbsp. | almond powder |
| 1/4 tsp. | black pepper |
| 2 tbsp. | water |
| 1 tbsp. | cornstarch |
| 3 cups | cooking oil |

### Preparation & Presentation

Trim the end two joints of each small crab leg and slightly crush the claws. Squeeze lemon juice over the crabs.
Mix cornstarch, green tea powder, seasoned flour and water to make a batter and set aside.
In a skillet, mix sauce ingredients and bring to a boil. Remove about 4 tbsp. for another use.
Heat cooking oil. Dip each piece of crab in the batter, then deep fry in oil until crispy.
Reheat the sauce in the skillet, slowly add the fried crabs and stir until just coated with sauce. Remove coated crabs from the sauce to a platter and serve.

* Available in Asian groceries.
** Available in Korean specialty grocery.

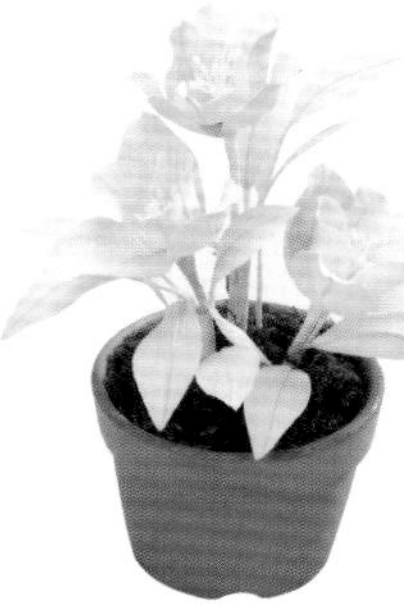

Fried Spicy Blue Crabs

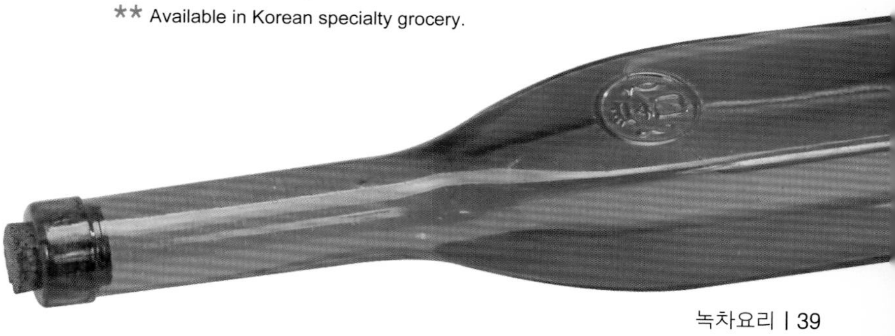

# 녹차가루 소고기 두릅,
# 두부튀김과 잣,
# 키위소스 무침 Fried Beef & Doo-rup
with Kiwi Dip

## 준비할 재료 [6인분] 🌱

소고기(불고기감) 7온즈(200g)　두릅(봉지에 든 가공된 물두릅) 5뿌리
느타리버섯 ½컵　　　　　　　　두부 ½모
풋고추(맵지 않은 것) 1개　　　　후추 ½작은술
튀김가루 2컵　　　　　　　　　물 2컵
녹말가루 1컵+녹차가루 1작은술　식용유 3컵

## 소스 재료

잣 1컵　　　　　　　콩국물 1컵
코코넛액 ½컵　　　　키위 2개
물 ¼컵　　　　　　　맛소금 ¼작은술

## 이렇게 만드세요

1 얇게 썬 불고기감은 기름을 떼고 녹말가루와 녹차가루를 잘 섞은
　후에 묻혀둔다.
2 봉지에 들어있는 물두릅은 5뿌리를 길이로 뜯어서 1컵 준비하여
　녹말가루, 녹차가루에 묻혀둔다.
3 느타리버섯은 먹기 좋게 찢고 깨끗이 씻어 ½컵 준비한 뒤 녹말가
　루, 녹차가루에 묻혀둔다.
4 두부 ½모는 정사각형 바둑모양으로 썰어 물기를 빼고 녹말가루,
　녹차가루에 묻혀둔다.
5 맵지 않은 풋고추는 길쭉하게 썰어놓는다.
6 튀김가루 2컵과 물 2컵을 잘 섞은 후에 녹말가루와 녹차가루에 묻
　혀놓은 물두릅, 느타리버섯, 두부, 풋고추에 튀김반죽의 ½을 붓는
　다. 나머지 반(½)은 소고기에 붓고 후춧가루 ½작은술을 넣어 잘
　섞은 뒤 식용유에 튀겨낸다.
7 소스는 잣과 콩국물, 코코넛액, 키위, 물을 분량대로 믹서에 넣고
　곱게 갈아 맛소금 ¼작은술을 넣고 냉장고에 보관한다.
8 준비가 다 되면 튀겨놓은 고기와 야채, 두부를 큰접시에 담고 만들
　어 놓은 소스에 찍어먹거나 혹은 튀김 위에 골고루 소스를 뿌린 뒤
　에 각자 접시에 담아 먹는다.

★ 소스를 뿌린 뒤 오래 두면 튀김과 소스가 붙어 볼품이 없다. 금방
　다 먹지 못할 경우에는 소스 따로 튀김 따로해서 먹을 때마다 튀김
　을 소스에 찍어먹으면 시간이 오래가도 변하지 않고 그 다음날까지
　같은 맛을 살릴 수 있어 깔끔하고 특별요리가 된다. 여름철의 스테
　미너와 영양식으로 추천할만한 건강식이다.

## 영양상식

▶▶ 두릅 – 식욕증진, 감기, 이뇨, 두통, 신경통, 류마티즘에 좋음. 독
　　특한 향기와 쓴맛이 식욕을 증진시키며 단백질과 당질이
　　많이 들어있으며 비타민 C와 B1, 칼슘, 칼륨, 디아스타제,
　　타닌산 등이 조금씩 들었음.
　　키위 – 성인병예방, 정장효과, 피로회복, 비타민 C, 팩틴, 칼륨, 단
　　백질분해효소가 들었음.

## 6 Servings

## Ingredients

| | |
|---|---|
| ½ lb. | lean beef, sliced thinly in bite sizes |
| 5 | doo-rup** (see Note), torn lengthwise, patted dry |
| 8 oz. | tofu, cut in bite sizes, patted dry |
| ½ cup | oyster mushrooms, cut in bite sizes |
| 1 | banana pepper, cut in bite sizes |
| 1 cup | cornstarch |
| 2 cups | seasoned flour for frying** |
| 2 cups | water |
| ½ tsp. | black pepper |
| 3 cups | cooking oil |

## Dipping Sauce

| | |
|---|---|
| 1 cup | pine nuts |
| 1 cup | soy milk |
| ½ cup | coconut milk |
| ¼ cup | water |
| 2 | kiwis, peeled and chopped |
| ¼ tsp. | Korean seasoned salt (math-so-geum**) |

## Preparation & Presentation

Coat the beef, shoots, tofu, mushrooms and pepper with
cornstarch.

Mix seasoned flour with water to make a batter. Pour half the
batter over the beef in a bowl. Pour the other half over the
shoots, tofu, mushrooms and banana peppers.

Heat cooking oil and, one by one, drop in slices of battered beef
and individual battered vegetables and fry until nicely crisp.

In a food processor, puree the sauce ingredients and pour into
a serving bowl or cup.

Arrange fried beef and vegetables on a platter. Serve either
with the sauce on the side for dipping or lightly poured over
beef and vegetables.

## Note

▶▶ Doo-rup may be called aralia shoots or fatsia shoots.

** Available in Korean specialty grocery.

Fried Beef & Doo-rup
with Kiwi Dip

# 녹차가루 갈치양념구이 Pan Fried Belt Fish

## 준비할 재료 [5-6인분]

갈치 2 파운드(907g)(9, 10토막)
밀가루 ¼컵
찹쌀가루 2큰술
식용유 ¼컵
녹차가루 ¼작은술
들깨가루 1큰술
후추 1작은술

## 양념 재료

진간장 ¼컵
고춧가루 1½큰술
다진 생강 1작은술
흑설탕 1큰술
다진 파 2큰술
참기름 ¼컵
다진 마늘 1큰술
볶은 깨 1큰술
물엿 1큰술
잣가루 1큰술

## 이렇게 만드세요

1 갈치는 머리를 떼고 1마리가 5토막되게 나눈 뒤에 깨끗이 씻어 칼집을 잘게 낸다.
2 밀가루 ¼컵, 들깨가루 1큰술, 찹쌀가루 2큰술, 녹차가루 ¼작은술, 후추 1작은술을 골고루 잘 섞은 뒤에 갈치에 묻힌다.
3 오목한 후라이팬에 식용유 ¼컵을 붓고 갈치를 가지런히 놓은 뒤 뚜껑을 닫고 익을 때 까지 지진다. 칼집 넣은 쪽을 밑으로 먼저 지진 뒤 어느정도 익으면 다시 뒤집어 지진다.
4 잣가루를 제외한 양념재료들을 골고루 섞은 뒤 지지고 있는 갈치 위로 골고루 뿌린 후에 바로 불을 끄고 마지막에 잣가루를 골고루 뿌린다.

## 영양상식

▶▶ 은백색의 가루가 덮여있는 흰살생선으로 단백질이 풍부하고 생선 중에서 특이하게 당질함량이 많아 특유의 풍미가 있으며 칼슘에 비해 인의 함량이 많은 산성식품이므로 채소를 곁들여 먹으면 좋다.

## 5-6 Servings

| | |
|---|---|
| ¼ cup | flour |
| 2 tbsp. | glutinous rice powder* |
| 1 tbsp. | perrila seed powder* |
| 1 tsp. | black pepper |
| 2 lb. | belt fish* (kahl-chi), cut in 9-10 pieces |
| ¼ cup | cooking oil |

## Sauce

| | |
|---|---|
| ¼ cup | dark soy sauce |
| ¼ cup | sesame oil |
| 1½ tbsp. | hot Korean chili powder** |
| 1 tbsp. | minced garlic |
| 1 tsp. | minced ginger |
| 1 tbsp. | toasted sesame seeds |
| 1 tbsp. | brown sugar |
| 1 tbsp. | corn syrup |
| 2 tbsp. | chopped spring onion |
| 1 tbsp. | crushed pine nuts as garnish |

## Preparation & Presentation

Mix flour, rice powder, perrila seed powder and black pepper. Make several shallow cuts on each piece of fish and dredge in flour mix to evenly coat. Heat cooking oil in skillet and pan fry fish until both sides are cooked.

Mix sauce ingredients and spread over each piece of fish. When sauce is heated, carefully move fish to a serving platter and sprinkle with pine nuts.

 * Available in Asian groceries.
** Available in Korean specialty groceries.

Pan Fried Belt Fish

# 녹차가루 조기구이 Grilled Croaker

## 준비할 재료 [2인분] 🌱

조기(중간크기) 2마리(12온즈)　　정종　2큰술
생강즙　1큰술　　　　　　　　후춧가루 ½작은술
곱게 다진 마늘즙　1큰술　　　소금 ½작은술
찹쌀가루　1큰술　　　　　　　밀가루　3큰술
녹말가루　1큰술　　　　　　　버터　1큰술
식용유　3큰술　　　　　　　　녹차가루 ½작은술

## 이렇게 만드세요

1 조기는 비늘을 긁어내고 아주 약한 소금물(소금 1작은술+물 4컵)에
　흔들어 씻어 조기의 내장을 다 제거한다. 물기를 닦아내고 조기에
　정종과 생강즙, 마늘즙, 소금, 후추로 밑간을 한 뒤에 30분 정도 재
　워둔다.
2 넓은 접시에 찹쌀가루, 밀가루, 녹말가루, 녹차가루를 분량대로 체
　에 쳐서 흔들어 잘 혼합한 뒤에 정종과 생강즙에 재어둔 조기의 앞
　뒤로 골고루 옷을 입힌다.
3 후라이팬에 버터와 식용유를 함께 넣고 기름이 잘잘 녹으면서 달구
　어지면 조기를 올려넣고 중간불에 굽는다. 아랫면이 노릇하게 익혀
　지면 뒤집어 굽고 앞뒤가 노릇노릇해지면 상에 낸다.

★ 조기를 손질한 후에 밀가루를 입혀서 바로 팬에 구워도 좋지만 조
　기에 밑간을 해서 잠시 재웠다가 조기의 수분이 나오도록 한 뒤에
　찹쌀가루와 밀가루, 녹말가루, 녹차가루의 혼합옷을 입히면 버터와
　식용유가 합쳐져 조기살이 아주 부드럽고 연해져서 더욱 맛을 낼
　수 있다.

## 영양상식

▶▶ 조기는 살이 부드럽고 영양가가 풍부하며 특히 양질의 단백질이
　많아 사람들이 즐겨찾는 건강식품이다. 몸빛이 황금색인 참조기가
　제일 맛이 좋다.

## 2 Servings

## Ingredients

| 2 | medium whole croakers, each about 12 oz., cleaned |
| 4 cups | water |
| 1 tsp. | salt |
| 2 tbsp. | rice wine or sake |
| 1 tbsp. | ginger juice |
| 1 tbsp. | garlic juice |
| ¼ tsp. | salt |
| ¼ tsp. | black pepper |
| 3 tbsp. | flour |
| 1 tbsp. | glutinous rice powder |
| 1 tbsp. | cornstarch |
| 1 tbsp. | butter |
| 3 tbsp. | cooking oil |

## Preparation & Presentation

Dip fish in 4 cups water with 1 tsp. salt to rinse, then drain.
Sprinkle sake, ginger juice, garlic juice, salt and pepper over
fish and let stand 30 minutes.
Mix flour, rice powder and cornstarch and evenly coat both
sides of fish.
Heat butter with oil and pan fry fish until nicely browned.

### Note

▶▶ Seasoning fish before coating it with flour mixture and frying
　results in a crisp outside and moist, tender inside.

Grilled
Croaker

# 녹차가루 버섯 두부 햄버거 Tofu Burgers

## 준비할 재료 [6-7인분] 🌱

곱게 간 소고기(92%기름 제거한 것) 1.55파운드(228g)
송이버섯 1팩(8온즈/227g)
녹차 ¼작은술
달걀흰자 3개
포도주 ½큰술
곱게 간 생강 1작은술
후춧가루 ½작은술
참기름 1큰술

두부 ½모
호두가루 2큰술
양파 ½개
곱게 간 마늘 1큰술
소금 ¼작은술
녹말가루 ⅓컵
식용유 5큰술

## 소스 재료

물 1컵
물엿 1큰술
포도쥬스 ⅓컵
오미자차에 탄 녹말물 ⅓컵

참기름 1큰술
진간장 2큰술
생강즙 1큰술

## 이렇게 만드세요

1 큰 그릇에 92%기름 제거한 곱게 간 고기에 송이버섯을 잘게 다져 넣고 두부를 부셔서 물기를 제거한 뒤 함께 넣어 골고루 섞는다.

2 녹차가루, 호두가루, 달걀흰자, 양파를 곱게 다져넣고 포도주, 곱게 간마늘, 곱게 간 생강, 소금, 후추, 녹말가루, 참기름을 분량대로 모두 "1"에 넣고 조물조물 골고루 혼합한다.

3 후라이팬에 식용유 1큰술을 두르고 "2"의 반죽한 것을 3큰술 정도 놓고 중간불에 서서히 지진다. 햄버거 크기는 사방 4인치, 두께 0.5인치 정도로 천천히 구워낸다.(13피스 정도 됨)

★ 빵 속에 넣어 먹으면 어린이들이 좋아한다.

4 소스는 녹말물만 빼고 오목한 냄비에 소스재료를 분량대로 넣고 팔 팔 끓이다가 충분히 끓고나면 녹말물을 부어 걸쭉하게 만든다.

★ 식성에 따라 소스를 햄버거 위에 끼얹어 먹으면 맛이 일품이다.

## 6-7 Servings

### Ingredients

| | | |
|---|---|---|
| ⅓ lb. | lean ground beef (92% lean) | |
| 8 oz. | button mushrooms, finely chopped | |
| ½ lb. | tofu, squeezed and crumbled | |

### Seasonings

| | |
|---|---|
| 2 tbsp. | walnut meal |
| ½ | medium onion, finely chopped |
| 1 tbsp. | finely minced garlic |
| ¼ tsp. | salt |
| ¼ tsp. | green tea powder* |
| 1 tsp. | finely minced ginger |
| ½ tsp. | black pepper |
| 1 tbsp. | sesame oil |
| ½ tbsp. | rice wine or sake |
| 3 | eggs |
| ⅓ cup | cornstarch |
| 5 tbsp. | cooking oil (or as needed) |

| Sauce | |
|---|---|
| 1 cup | water |
| 1 tbsp. | corn syrup |
| ⅓ cup | grape juice |
| 1 tbsp. | sesame oil |
| 2 tbsp. | dark soy sauce |
| 1 tbsp. | ginger juice |
| ⅓ cup | green tea (oh-me-jah*) |
| 1 tbsp. | cornstarch |
| 6-7 | hamburger buns |

### Preparation & Presentation

In a bowl, thoroughly mix beef, mushrooms, tofu and seasonings. Shape in 12-13 patties about 4 inches in diameter and ½ inch thick. Heat a skillet, add 1 tbsp. cooking oil at a time and saute the patties slowly until done.
Mix the first 6 sauce ingredients and bring to a boil. Mix green tea and cornstarch and add to thicken sauce. Spoon sauce to taste over patties. Place patties on buns and enjoy these delicious burgers.

* Available in Asian groceries.

Tofu
Burgers

# 녹차가루 퓨전식
# 해물 김치전 Seafood Patties

## 준비할 재료 [2인분]

| | |
|---|---|
| 종합해물(해물모듬) 1½컵 | 채 썬 김치 1컵 |
| 씻어서 채 썬 김치 ½컵 | 송이, 느타리, 목이, 표고 버섯 종합 ½컵 |
| 들깨가루 1큰술 | 녹차가루 1작은술 |
| 참기름 1큰술 | 달걀(흰자) 2개 |
| 식용유 6큰술 | 후춧가루 ¼작은술 |
| 녹말가루 1큰술 | 부침가루 2큰술 |
| 부침가루 1½컵 | 물 1컵 |

## 이렇게 만드세요

1  종합해물(해물모듬) 1½컵을 끓는 물에 살짝 데친다.
2  김치는 1컵을 채 썰고 ½컵은 찬물에 양념을 씻어낸 뒤 물기를 꼭
   짠 후 채 썰어 양념 씻지않은 김치와 합친 뒤 참기름 1큰술에 조물
   조물 무쳐둔다. 종합(냉동)버섯 ½컵도 물기를 꼭 짜 놓는다.
3  오목한 큰 그릇에 김치와 버섯, 들깨가루 1큰술, 녹차가루 1작은술,
   부침가루 1½컵, 물 1컵, 후춧가루 ¼작은술을 넣고 골고루 섞어놓
   는다.
4  "1"의 살짝 데친 종합해물에 달걀흰자 2개와 녹말가루 1큰술, 부
   침가루 2큰술을 넣고 골고루 섞어 준비한다.
5  후라이팬에 식용유를 넉넉히 두르고 "3"을 먼저 판판하게 펴놓고
   중앙에 "4"를 올린 뒤 센 불에서 굽는다. 두 번만 뒤집는다.

★ 자주 뒤집어 구우면 부스러진다.
★ 크게 굽지말고 작게 굽는게 좋다.

## 2 Servings

## Ingredients

| | |
|---|---|
| 1½ cups | frozen mixed seafood, thawed |
| 2 | egg whites, lightly beaten |
| 1 tbsp. | cornstarch |
| 2 tbsp. | seasoned flour for frying** |
| 1 cup | Napa cabbage kimchi, cut in strips |
| ½ cup | Napa cabbage kimchi, rinsed, squeezed and cut in strips |
| 1 tbsp. | sesame oil |
| ½ cup | frozen mixed mushrooms*, thawed, gently squeezed |
| 1 tbsp. | perrila seed powder |
| 1½ cups | seasoned flour for frying** |
| 1 cup | water |
| ¼ tsp. | black pepper |
| 1 tbsp. | green tea powder |
| 6 tbsp. | cooking oil |

## Preparation & Presentation

Blanch thawed seafood quickly, drain and gently combine with egg whites, cornstarch and 2 tbsp. seasoned flour and set aside.

Mix the two kinds of kimchi with sesame oil and fold in the mushrooms, perrila powder, 1½ cups seasoned flour, black pepper and 1 cup water to make a batter.

Heat a nonstick frying pan, lightly grease with cooking oil and drop in a large spoonful of batter, flatten slightly and put a small spoonful of the seafood mixture on top of patty. When edges are done, carefully turn patty over to cook. Repeat with rest of batter and seafood mix.

## Note

▶▶ The small size makes the patties easy to make. Turn each only once to avoid crumbling the patty.

\* Available in Asian groceries.

\*\* Available in Korean specialty groceries.

# 녹차가루
# 낙지 갈비 전골 Baby Octopus and Beef Rib Hot Pot

## 준비할 재료 [4인분] 🌿

| | | |
|---|---|---|
| 낙지(1파운드) 450g | L.A.갈비 1파운드 | 양파(중간크기) 1개 |
| 표고버섯 5장 | 대파(썰어) 1컵 | 작은 떡볶이떡 20쪽 |
| 참기름 1큰술 | 육수 2컵(치킨브로스 1 Can) | |

### 갈비 양념 재료

| | | |
|---|---|---|
| 진간장 2큰술 | 참기름 1큰술 | 후춧가루 ½작은술 |
| 녹차가루 ¼작은술 | 포도주 1큰술 | |
| Splenda 2큰술 | | |
| 다진 마늘 1큰술 | | |

### 낙지 양념 재료

| | | |
|---|---|---|
| 다진 마늘 1큰술 | 후춧가루 ½작은술 | 참기름 1큰술 |
| 고춧가루 1큰술 | 고추장 1큰술 | 다진 생강 ½작은술 |

## 이렇게 만드세요

1 낙지는 가위로 머리통을 자르고 먹통을 뗀 뒤 깨끗이 씻어 물기를 뺀 뒤에 낙지 양념 재료들을 모두 분량대로 넣고 골고루 무쳐둔다.

2 L.A.갈비는 찬물에 30분 이상 담갔다가 물기를 닦고 뼈마디 간격으로 자르면서 기름을 제거한다. 갈비 양념 재료들을 분량대로 잘 섞어 고기에 배게 골고루 묻혀둔다.

3 양파는 반을 잘라 채썰고 불린 표고버섯은 기둥을 떼고 큼직큼직하게 썰어놓는다. 대파는 썰어서 1컵 준비하고 작은 떡볶이떡은 물에 담가둔다.

4 식사 전에 밥상 위에 전기냄비나 휴대용 가스버너를 준비하여 냄비를 올린 뒤 뜨거워 질 때 참기름 1큰술을 넣고 먼저 야채(양파, 대파, 버섯)를 넣고 볶는다. 어느 정도 익으면 야채들을 옆으로 밀고 양념에 재워둔 갈비를 깐다. 고기를 앞뒤로 뒤집으며 어느정도 익으면 양념에 재워둔 낙지를 다 넣고 앞뒤로 뒤적이다가 육수 2컵을 넣고 물에 담가둔 작은 떡볶이떡을 같이 넣는다. 끓기 시작하면 작은 볼을 준비하여 갈비, 낙지, 야채, 떡 등 골고루 먹기 시작한다. 갈비뼈가 끓으면서 낙지와 같이 어울리니 국물이 아주 진품이고 구수하면서도 담백한 전골이 된다. 해물과 육류를 같이 먹을 수 있는 것이 특징이다.

★ 떡볶이떡이 아주 맛이 있다. 식성에 따라 먹는 도중에 더 넣어도 된다. 국물이 졸게되면 물을 약간씩 넣어도 양념이 충분하므로 간이 맞다.

### 영양상식

▶▶ 낙지 – 단백질이 풍부하고 타우린이 풍부하다. 영양도 풍부하지만 쫄깃쫄깃 씹히는 맛이 좋아 연체류중 가장 인기있는 식품이다.

## 4 Servings

## Ingredients

### Octopus Marinade

| | |
|---|---|
| 1 tbsp. | minced garlic |
| 1 tbsp. | sesame oil |
| 1 tbsp. | hot Korean chili paste** |
| ½ tsp. | black pepper |
| 1 tbsp. | hot Korean chili powder** |
| ½ tsp. | minced ginger |
| 1 lb. | frozen baby octopus, thawed, rinsed well |

### Rib Marinade

| | |
|---|---|
| ¼ tsp. | green tea powder** |
| 2 tbsp. | dark soy sauce |
| 1 tbsp. | sesame oil |
| 1 tbsp. | red wine |
| 1 tbsp. | minced garlic |
| ½ tsp. | black pepper |
| 1 tbsp. | sweetener (Splenda) |
| 1 lb. | L.A. style beef ribs**, cut in individual ribs, soaked in water 30 minutes, patted dry |
| 1 tbsp. | sesame oil |
| ½ | medium onion, sliced |
| 5 | dried black mushrooms*, softened in warm water, cut in bite sizes |
| 1 cup | leeks, cut into ¼ inch pieces |
| 2 cups | chicken broth |
| 20 | Korean rice cake pieces**, each 2 inches long |

## Preparation & Presentation

Mix octopus marinade ingredients and add octopus. Mix rib marinade ingredients and add ribs.

To prepare this dish at the table, use an electric skillet or propane gas tabletop cooker. Heat 1 tbsp. sesame oil in skillet, stir fry onions, mushrooms and leeks 2-3 minutes, push to the edges, add ribs turn once or twice and cook 3-4 minutes. Add octopus and cook 2 minutes. Add broth, bring to a boil and add rice cakes. When boiling resumes, serve this tasty dish in individual bowls.

### Note

▶▶ Beef with seafood creates its own unique flavor. Rice cakes can be added anytime to taste.

\* Available in Asian groceries.

\*\* Available in Korean specialty groceries.

# 녹차가루 새송이 버섯구이 Pan Fried Pine Mushrooms

## 준비할 재료 [4인분] 🌱

새송이버섯 8온즈(½파운드)　　참기름 3큰술
식용유 3큰술

## 양념 재료

녹차가루 1작은술　　　　고추장 2큰술
물엿 1큰술　　　　　　　곱게 간 마늘 1큰술
곱게 간 생강 ½큰술　　　정종 1큰술
사과즙 2큰술　　　　　　참기름 2큰술
육수 ¼컵

## 이렇게 만드세요

1  새송이버섯을 구입하여 깨끗이 씻고 세로로 납작하게 썰어둔다.
2  양념을 모두 잘 혼합하여 납작하게 썬 송이버섯에 간이 배도록
　　골고루 묻혀서 재워둔다.
3  후라이팬에 참기름과 식용유를 3큰술씩 넣어 기름이 잘잘할 때 양
　　념에 재워둔 새송이버섯을 살짝살짝 구어내어 접시에 담는다.

## 영양상식

▶▶ 새송이버섯 – 향긋한 맛과 향 때문에 널리 사랑 받는 식품. 비타
　　　　민 D의 일종인 엘고스 테린과 비타민 B1이 풍부하
　　　　고 감칠맛이 나는 구아닐산이 콜레스테롤치를 떨어
　　　　뜨려 장수식품으로서 인기가 높다.

## 4 Servings
## Ingredients

8 oz.　　pine mushrooms** (see Note), cleaned

## Marinade

1 tsp.　　　green tea powder
2 tbsp.　　Korean hot chili paste**
1 tbsp.　　corn syrup
1 tbsp.　　rice wine or sake
2 tbsp.　　sesame oil
2 tbsp.　　apple juice
¼ cup　　 meat stock
1 tbsp.　　finely minced garlic
½ tbsp.　　finely minced ginger

3 tbsp.　　sesame oil
3 tbsp.　　cooking oil

## Preparation & Presentation

Slice mushrooms lengthwise. Mix marinade ingredients and
gently brush over mushrooms. Heat a skillet very hot, add both
the sesame oil and cooking oil and very quickly pan fry
mushrooms.  Serve as a tasty side dish.

## Note
▶▶ Pine mushrooms (sae-song-ee-busat), also called king
　　oyster mushrooms, have small, white caps and tall (2-4
　　inches) thick, white stalks about 1-1½ inches in diameter.

** Available in Korean specialty groceries.

# 녹차가루 잡채 김말이 튀김
## Fried Chop-Chae Rolls

### 준비할 재료 [4~5인분] 🌱

김 3장(반을 잘라 6장을 만듬)
깻잎 6장
녹차가루 ½작은술
식용유 2컵

먹다 남은 잡채 2컵정도
튀김가루 1컵
물 ½컵

### 이렇게 만드세요

1  김 3장을 길이로 2등분하여 6장이 되게 한다.

2  김 위에 깻잎을 놓고 그 위에 잡채 2큰술을 놓아 돌돌 말아 놓는다. (6개를 만든다)

3  튀김가루 1컵, 녹차가루 ½작은술, 물 ½컵을 골고루 잘 섞어 저은 뒤에 돌돌 말아 놓은 잡채 김말이를 튀김물에 적셔 식용유(170℉ 정도)에 튀겨낸다.

★  오랫동안 튀기지말고 앞뒤로 뒤집다가 노릇노릇할 때 건진다. 기름을 뺀 뒤 약간 식은 뒤에 먹기 좋게(한 개를 4피스 정도 되게) 썰어 접시에 예쁘게 담아낸다. 잡채 김말이는 끝에 매듭이 풀릴 염려가 있으므로 튀김옷을 입힐 때 살살 굴리면서 튀김옷이 완전히 골고루 묻으면 기름에 튀겨낸다.

★  참고: 잡채 만들기는 우리요리이야기 1권 128페이지를 참고하세요.

### 영양상식

▶▶ 깻잎 – 칼슘, 철분, 나이아신, 비타민A, B1, B2, C가 들어있고 맛과 향이 진하고 고소해서 고기와 같이 먹으면 좋다.

### 4-5 Servings
### Ingredients

| | |
|---|---|
| 1 cup | seasoned tempura flour** |
| ½ cup | water |
| 3 sheets | seaweed (nori**), each cut in half |
| 2 cups | leftover chop-chae (see Note) |
| 6 | perrila leaves |
| 2 cups | cooking oil |

### Preparation & Presentation

Mix flour and water to make a batter.
On a piece of nori, place ⅓ cup of chop-chae, top with a perrila leaf and roll up like a jelly roll or sushi. Repeat to make 6 rolls. Heat the oil 170°F. Take a roll and dip each end in the batter to seal, then dip the entire roll to coat and fry in the hot oil until lightly browned. Repeat with all six rolls. Let rolls cool slightly before cutting each in 3-4 pieces to serve.

### Note

▶▶ A recipe for chop-chae, a noodle dish, appears on page 129 in the first Vignette of Korean Cooking, published in 2000.

　* Available in Asian groceries.
** Available in Korean specialty groceries.

# 녹차, 표고버섯, 매운 갈비찜 Braised Spicy Ribs with Green Tea

## 준비할 재료 [5-6인분] 🌱

뼈없는 갈비(Boneless Beef Chuck Short Rib) 2파운드
표고버섯 4온즈(1½컵, 20개 정도)

| | |
|---|---|
| 녹차가루 ½작은술 | 감초뿌리 3조각 |
| 물 3컵 | 들깨가루 2큰술 |

## 양념장 재료

| | |
|---|---|
| 고추장 2큰술 | 포도주 1½큰술 |
| 물 1컵 | 물엿 ¼컵 |
| 곱게 간 생강 1큰술 | 곱게 간 마늘 1큰술 |
| 참기름 1½큰술 | 고운 고춧가루 ½큰술 |
| 후추 ¼작은술 | 스프랜다 1큰술 |
| 흑설탕 1큰술 | 진간장 1½큰술 |

## 이렇게 만드세요

1  뼈없는 갈비는 기름을 떼어내고 고기토막을 세로 3인치, 가로 1½인치, 두께 1인치 정도로 썰어 16-17피스를 준비한다.
2  표고버섯은 물에 충분히 불린 뒤 기둥을 떼고 모양 그대로 20개 정도 준비한다.
3  "1"의 준비된 갈비에 녹차가루 ½작은술을 넣고 조물조물 섞은 후에 물 3컵을 붓고 감초뿌리 3조각을 넣고 고기가 완전히 익을 때까지 삶는다. 젓가락으로 찔러보고 쏙 들어가면 국물과 감초는 버린다.
4  오목한 냄비에 양념장 재료를 모두 혼합하여 넣고 끓인다. 보글보글 끓을 때 "3"의 익혀놓은 갈비와 표고버섯을 넣고 조린다. 국물이 거의 졸아 들면 식성에 따라 가위로 반씩 잘라주면 먹기가 편하다.
5  불을 끄고 국물이 거의 자작자작할 때 접시나 오목한 대접에 모양있게 담고 위에 고명으로 들깨 가루를 뿌린다. 건강식 매운 갈비찜이 된다.

## 영양상식

▶▶ 녹차 - 불소가 들어있어 충치를 막고 특히 지방 성분을 분해하며 비타민 B, C, E를 비롯해 철분, 칼륨, 칼슘, 식물성 섬유 등 몸에 좋은 성분이 풍부하다. 떫은 맛을 내는 타닌성분은 혈중 콜레스테롤치를 떨어뜨리고 동맥경화와 비만에도 효과가 있다.
표고버섯 - "렌치난"이라는 항암성분이 들어있어 암 치료에 효과가 있고, "엘리타테닌"은 혈액 속에 콜레스테롤을 감소시키고 혈액순환을 원활하게 한다.

## 5-6 Servings

### Ingredients

| | |
|---|---|
| 2 lbs. | boneless beef short ribs |
| ½ tsp. | green tea powder |
| 3 cups | water |
| 3 slices | licorice root |
| 20 | dried black mushrooms, softened in warm water |
| 2 tbsp. | perrila seed powder for garnish |

### Braising Sauce

| | |
|---|---|
| 2 tbsp. | Korean hot chili paste** |
| 1½ tbsp. | rice wine or sake |
| 1 cup | water |
| ¼ cup | corn syrup |
| 1 tbsp. | finely minced ginger |
| 1 tbsp. | finely minced garlic |
| 1½ tbsp. | sesame oil |
| ½ tbsp. | Korean hot chili powder** |
| ¼ tsp. | black pepper |
| 1 tbsp. | brown sugar |
| 1 tbsp. | sweetener (Splenda) |
| 1½ tbsp. | dark soy sauce |

### Preparation & Presentation

Trim fat from short ribs and cut each in 2-3 inch pieces (making about 16-18 pieces). Sprinkle with green tea powder and gently rub it into the ribs by hand. Heat water and licorice root, add meat and cook until done. Discard water and licorice.
Mix braising sauce ingredients in a large sauce pan, bring to a boil and add ribs and mushrooms. Cook until liquid is reduced to a thick sauce. If any ribs seem too large, cut in half. Sprinkle with perrila seed powder and serve.

** Available in Korean specialty grocery.

Braised Spicy Ribs with Green Tea

# 녹차, 들깨, 검은깨 수제비 Dumplings in Green Tea

## 준비할 재료 [2인분] 🌱

녹차가루 ½큰술
들깨가루 ¼컵
검은깨 1큰술
다시마 1장(세로5인치, 가로4인치)
느타리버섯 0.2파운드(1컵)
파 2뿌리
양파(중간크기) ½개
육수 2컵
티백으로 우려낸 녹차물 1컵

밀가루 1컵
물 ⅓컵
녹말가루 1큰술
숙주 2온즈(½컵)
풋고추 1개
깻잎 2장
물 3컵
소금 ½작은술

## 이렇게 만드세요

1 녹차가루 ½큰술과 밀가루 1컵, 들깨가루 ¼컵, 검은깨 1큰술에 물 ⅓컵을 잘 섞은 뒤 반죽을 한다. 손에 붙지않게 녹말가루를 묻히면서 반죽한 뒤 비닐봉지에 담아 냉장고에 30분 이상 넣어둔다.(쫄깃쫄깃하게 된다.)
2 오목한 냄비에 물 3컵과 육수 2컵, 녹차물 1컵을 넣고 끓인다.
3 다시마와 느타리버섯은 잘 찢어서 씻어두고 숙주도 씻어서 물기를 빼둔다. 파는 덤썩덤썩 썰고, 풋고추는 길쭉하게 썰어 둔다. 양파 ½개는 채 썰어놓고 깻잎도 채를 썬 뒤 끓고 있는 "2"의 국물에 모두 넣는다.
4 냉장고에서 숙성시킨 수제비 반죽을 손으로 납작하게 누르면서 한 장 한 장 떼어 끓고 있는 국에 넣는다. 수제비가 위로 떠오르면 다 익은 것이다. 달걀 2개는 흰자만 잘 저은 후 끓고 있는 수제비국에 넣는다. 불을 끄고 국그릇에 담아낼 때 소금으로 간을 한다.
5 다시마는 식성에 따라 채를 썰어 수제비와 같이 먹든지 버리든지 한다.

## 영양상식

▶▶ 녹차 – 지방성분을 분해하며 비타민 B, C, E를 비롯해 철분, 칼륨, 칼슘, 식물성 섬유 등 우리 몸에 좋은 성분이 풍부함.
양파 – 유화알린 성분이 있어 혈액순환을 돕는다.
검은깨 – 소화효소가 많이 들어있고 지방질이 풍부, 위장을 매끄럽게하는 작용을 함.

## 2 Servings

### Ingredients

| | |
|---|---|
| ½ tbsp. | green tea powder* |
| ¼ cup | perrila seed powder** |
| 1 tbsp. | toasted black sesame seeds |
| 1 cup | flour |
| ⅓ cup | water |
| 1 tbsp. | cornstarch, for dusting |
| 2 cups | meat stock |
| 3 cups | water |
| 1 cup | green tea |
| 1 sheet | kelp, about 4 X 5 inches |
| 1 cup | oyster mushrooms, torn in bite sizes |
| ½ cup | bean sprouts |
| 2 | spring onions, cut in 1 inch lengths |
| 1 | green chili, seeds removed, cut in thin strips |
| ½ | medium onion, sliced |
| 2 | perrila leaves, cut in strips |
| 2 | egg whites, beaten lightly with a fork |
| ½ tsp. | salt |

### Preparation & Presentation

Mix green tea powder, perrila seed powder, sesame seeds, flour and ⅓ water and, using hands dusted with cornstarch, make a dough. Put dough in a plastic bag and refrigerate 30 minutes to make it very glutinous.

In a pot, boil the meat stock, 3 cups water and green tea. Add kelp, mushrooms, sprouts, spring onion, onion, green chili and perrila leaves.

Wet both hands. Hold the dough in one hand and use the other to tear small bite size pieces, flattening each with a thumb before dropping them in the boiling stock mix to cook. When dumplings float to the top, stir in the egg whites, season with salt to taste and serve in bowls.

\* Available in Asian groceries.
\*\* Available in Korean specialty groceries.

Dumplings
in Green Tea

# 녹차가루
# 경단, 깨콩국

## Green Tea Dumplings in Soy Bean Soup

### 준비할 재료 [3인분]

찹쌀가루(모찌꼬 가루) 16온즈(1파운드/ 454g)
녹차가루 1작은술           삶아 찢은 닭고기 2컵(8온즈)
불린 미역 1컵              불린 표고버섯 5장
채 썬 호박 1컵             피클 오이 1개
달걀지단 2개               방울 토마토 8개
생강(납작썰어) 5쪽          청주 1큰술
대파(큼직썰어) 5쪽          통마늘 5쪽

### 국물 재료

콩 ½컵                    잣 3큰술
깨 3큰술                  소금 ½작은술
물 8컵

### 이렇게 만드세요

1 불린 콩을 삶은 뒤 잣, 깨와 물 8컵을 넣고 콩국을 만든다. 소금 ½ 작은술로 간을 맞춘다.

2 찹쌀가루와 녹차가루에 미지근한 물 ½컵을 넣고 촉촉하게 반죽을 하여 새알을 만든 뒤 끓는 물에 넣는다. 위로 동동 떠오르면 다 익은 것이므로 건진 뒤 얼음물에 담가둔다.(얼음물에 담가두면 서로 달라 붙지 않고 더욱 쫄깃쫄깃하게 된다.)

3 닭고기(½파운드)는 소금물에 생강 5쪽, 청주 1큰술, 대파 5쪽, 통마늘 5쪽을 넣고 삶아 익힌 뒤에 고기만 곱게 찢어 놓는다.

4 미역은 불려서 작게 썰고 표고버섯과 호박은 채를 썰어 끓는 물에 데친다. 씨 없는 오이는 반달형으로 썰어 소금 1/5작은술에 약간 절였다가 물기를 꼭 짜놓고 달걀 2개는 잘 풀어 지단을 부쳐 채 썬다.

5 국그릇에 알경단을 담은 뒤 위에 고명으로 닭고기, 미역, 표고버섯, 호박, 오이, 달걀지단, 방울토마토를 올리고 만들어 놓은 깨콩국을 부어 상에 낸다.

★ 아주 구수하고 시원하며 경단이 쫄깃쫄깃하여 이색적이며 여름의 시원한 보양요리로 한 번쯤은 먹어볼만 하다.

### 영양상식

▶▶ 콩 – 밭에서 나는 소고기, 단백질과 지방, 비타민 B군이 풍부하고 리신이 많이 들어있음. 리렐놀산 함량이 높아 콜레스테롤, 지방산의 증가를 억제시킴

깨 – 칼슘, 지방, 단백질, 철분이 풍부. 골다공증을 예방

## 3 Servings

### Ingredients

| | |
|---|---|
| ½ lb. | skinless, boneless chicken breast |
| 2 cups | water |
| 5 | fresh ginger slices |
| 1 tbsp. | rice wine or sake |
| 5 slices | leek, white part only, each ½ inch long |
| 5 | garlic cloves |

### Soup Stock

| | |
|---|---|
| ½ cup | dried soy beans, simmered in water until soft, drained |
| 3 tbsp. | pine nuts |
| 3 tbsp. | toasted sesame seeds |
| 8 cups | water |
| ½ tsp. | salt |
| | |
| 1 lb. | glutinous rice powder* (mochiko) |
| 1 tsp. | green tea powder* warm water, as needed |
| 2 | eggs, separated, lightly beaten |
| 1 cup | softened kelp*, cut in bite sizes |
| 1 cup | zucchini, cut in thin strips |
| 5 | dried black mushrooms*, softened, cut in thin strips |
| 1 | pickling cucumber, cut lengthwise, sliced in half moons |
| 8 | cherry tomatoes |

### Preparation & Presentation

Cook chicken in 2 cups water with ginger, sake, leeks, garlic and salt until done. Remove and shred meat by hand.
Process soup stock ingredients until smooth and refrigerate.
Mix rice powder, tea powder and enough warm water to make a soft dough. Form small (½ inch diameter) balls. Boil a pot of water, drop in dough balls, remove when each floats to the top and keep in cold water until ready to serve. Make a thin pancake with the egg whites and repeat with egg yolks. Cut each pancake in thin strips.
To serve, use a slotted spoon and evenly distribute dumplings to individual bowls, top with chicken, kelp, zucchini, mushrooms and cucumber and pour in just enough chilled soy bean soup to cover dumplings. Garnish with egg strips and tomatoes.

### Note

▶▶ The chewy dumplings and nutty soup stimulate the appetite on hot summer days.

* Available in Asian groceries.

# 녹차가루, 들깨가루 연어조림
## Braised Green Tea Salmon

### 준비할 재료 [3-4인분]

연어 22온즈(650g)　　　　　레몬 1개
연어(세로2인치, 가로1½인치, 두께1인치) 22피스

### 소스 재료

간장 ¼컵　　　　　　녹차 ½작은술
들깨가루 1큰술　　　　포도주 2큰술
물엿 ⅓컵　　　　　　참기름 ¼컵
자장소스 1큰술　　　　후춧가루 ¼작은술

### 이렇게 만드세요

1  껍질 벗긴 연어를 구입하여 깨끗이 씻고 종이타올로 자근자근 눌러 닦는다. 세로 2인치, 가로 1½인치, 두께 1인치정도의 크기로 22조각 정도 자른 뒤 레몬 1개를 반으로 잘라 연어 위에 골고루 뿌려준다.
2  오목하고 납작한 냄비에 간장, 녹차, 들깨가루, 포도주, 물엿, 참기름, 자장소스, 후춧가루를 분량대로 모두 혼합하여 넣고 끓인다.
3  끓기 시작할 때 "1"의 연어조각을 끓는 조림장에 넣는다. 처음부터 휘 젓지말고 고기가 익으면 탄력이 생기므로 잠깐 기다렸다가 소스를 조심성있게 골고루 끼얹는다. 8-10분정도 뒤에 불을 끄고 접시에 담는다.

### 영양상식

▶▶ 연어 – 영양가가 충분하면서도 칼로리가 적어 꾸준히 먹으면 심장병, 당뇨병 등 치매예방에 효과적이며 암에 걸릴 확률을 줄일 수 있다. 머리를 많이 쓰는 사람에게 좋고 학생은 기억력이 좋아진다.

## 3-4 Servings
### Ingredients

| | |
|---|---|
| 22 oz. | salmon fillet, skin removed |
| 1 | lemon, for juice |

### Braising Sauce

| | |
|---|---|
| ½ tsp. | green tea powder* |
| 1 tbsp. | perrila seed powder** |
| ¼ cup | soy sauce |
| ⅓ cup | corn syrup |
| 1 tbsp. | Chinese black bean paste* |
| ¼ cup | sesame oil |
| 2 tbsp. | rice wine or sake |
| ¼ tsp. | black pepper |

### Preparation & Presentation

Cut salmon in approximately 2 x 1½ inch pieces and squeeze lemon juice over them. Combine sauce ingredients in a skillet and bring to a boil over medium high heat. Add salmon pieces in one layer and carefully spoon sauce on to coat. Turn heat down and cook 8 minutes or until sauce thickens nicely. Serve as one of several side dishes.

\* Available in Asian groceries.
\*\* Available in Korean specialty groceries.

# 녹차 매운 메밀 자장면 Spicy Buckwheat Noodles

### 준비할 재료 [2-3인분]

소고기(살코기 잘게 썰어) ½컵(3온즈)
표고버섯 4장          감자(중간크기) 1개          양파(중간크기) 1개

### 소스 재료

자장소스 3큰술          고추장 1큰술          녹차가루 1작은술
고춧가루 ½큰술          참기름 2큰술          곱게 간 마늘 1큰술
물 1컵                   육수 2컵              녹말물 1컵
후추 ¾작은술

### 이렇게 만드세요

1  오목한 냄비에 참기름 1큰술, 곱게 간 마늘 1큰술, 소고기를 잘게 썰어 ½컵을 넣고 볶는다. 고기가 다 익을 때까지 볶다가 자장소스 3큰술을 넣고 볶다가 고추장 1큰술과 녹차가루 1작은술을 넣고 볶는다.

2  물에 충분히 불린 표고버섯은 기둥을 떼고 큼직큼직하게 썰어두고 감자와 양파는 껍질을 벗겨 깍둑 썬 후 볶고있는 "1"의 자장소스에 모두 넣고 볶는다.

3  물 1컵과 육수 2컵을 "2"에 붓고 후추 ¾작은술을 넣고 끓인다. 한참 끓을 때 녹말물 1컵을 넣고 윤기가 나고 농도가 적당하게 되면 불을 끄고  참기름 1큰술을 넣는다.

★ 메밀국수: 메밀국수를 삶을 때 참기름을 한방울 떨어뜨려 삶으면 더욱 부드럽다.

### 영양상식

▶▶ 메밀 – 아미노산이 많이 들어있으며 다른 곡물에 비해 인, 비타민B1, B2, D, 인산 등이 풍부한 것이 특징. 메밀에는 비타민 P의 일종인 루틴 성분이 있어 모세혈관을 튼튼하게 해주므로 고혈압, 동맥경화증 등의 각종 성인병 예방에 뚜렷한 효과를 발휘함.

## 2-3 Servings
### Ingredients

| | |
|---|---|
| 1 tbsp. | sesame oil |
| 1 tbsp. | finely minced garlic |
| ½ cup | beef, cut in ¼ inch cubes |
| 3 tbsp. | Chinese bean paste* |
| 1 tbsp. | Korean hot chili paste** |
| 1 tsp. | green tea powder* |
| 2 cups | broth |
| 4 | black mushrooms, softened in warm water, cut in ¼ inch cubes |
| 1 | medium potato, cut in ¼ inch cubes |
| 1 | medium onion, cut in ¼ inch cubes |
| 1 cup | water |
| ¾ tsp. | black pepper |
| 1 cup | water |
| 1½ tbsp. | cornstarch |
| 1 | package buckwheat noodles (fresh or dry) |
| 1 tbsp. | sesame oil |

### Preparation & Presentation

Heat 1 tbsp. sesame oil in sauce pan, add garlic, stir 30 seconds and add beef. When beef is cooked, add bean paste, Korean chili paste and green tea powder. Add broth, mushrooms, potato, onion, black pepper and 1 cup water and bring to a boil. Mix 1 cup water and cornstarch. Turn heat down and add cornstarch water to thicken and give sauce a shiny appearance. Cook noodles according to package direction. Drain, quickly rinse in water and place in a bowl or serving platter. Top with sauce and serve.

* Available in Asian groceries.
** Available in Korean specialty grocery.

# 녹차 김밥 Green Tea Sushi

## 준비할 재료 [2인분] 🌱

밥 2주걱
참기름 1작은술
Osaki게맛살 4개
아스파라가스(줄기) 4개
볶음깨 ½작은술

녹차가루 ¼작은술
양념깻잎 6장
고추장 ¼작은술
김 2장
소금 ¼작은술

## 이렇게 만드세요

1  밥짓기: 쌀 2컵 + 물 2½컵 (자동밥솥에서 35분쯤 지나면 밥이 됨)
2  밥 2주걱에 녹차가루 ¼작은술을 비벼서 파란색 밥을 준비한다.
3  김 1장을 칼 도마 위에 놓고 밥 1주걱을 김 위에 골고루 짝 펴놓는다.
4  밥 위에 양념깻잎 3장을 펴 올린 뒤 게맛살을 2개 올리고 아스파라가스는 참기름 1작은술, 볶음깨 ½작은술, 소금 ¼작은술을 넣고 조물조물 무쳐서 2줄기를 깻잎 위에 올린다.
5  고추장을 손가락에 묻힌 뒤 밥 위에 짝 가로로 바른다.
6  김을 돌돌 말아 완성한 뒤 8피스 정도로 썰어 접시에 담는다.
7  다른 김 한 장도 "3"부터 "6"까지 같은 방법으로 만든다.

## 영양상식

▶▶ 녹차 – 지방성분을 분해하며 비타민 B,C,E를 비롯해 철분, 칼륨, 칼슘, 식물성 섬유 등 우리 몸에 좋은 성분이 풍부함.

## 2 Servings

## Ingredients

| | |
|---|---|
| 1½ cups | cooked rice (see Note) |
| ¼ tsp. | green tea powder |
| 4 | asparagus spears, blanched |
| 1 tsp. | sesame oil |
| ½ tsp. | toasted sesame seeds |
| ¼ tsp. | salt |
| 2 sheets | seaweed (nori*) |
| 6 | seasoned perrila leaves (ready-made)** |
| 4 | imitation crab sticks (Osaki brand) |
| ¼ tsp. | hot Korean chili paste** |

## Preparation & Presentation

Over the rice, sprinkle green tea powder and mix gently until rice turns greenish. Season asparagus with sesame oil, sesame seeds and salt. Place a sheet of seaweed on a bamboo sushi mat or other flexible surface. With wet fingers, evenly spread half the rice over the seaweed, leaving ½ inch uncovered at the far edge. Top the rice with 3 perrila leaves, then 2 asparagus spears and 2 crab sticks. Make a line of chili paste along asparagus with a finger tip. Use the mat to roll up the seaweed like a jellyroll and, with a wet knife, cut in 8 serving pieces. Repeat the process with the remaining ingredients. Enjoy!

## Note

▶▶ To make sushi rice : cook 2 cups of well-washed short grain rice in 2½ cups water in an electric rice cooker for 35 minutes or until the machine indicates rice is ready.

\* Available in Asian groceries.
\*\* Available in Korean specialty groceries.

# 녹차가루, 들깨가루
# 가자미 양념요리 Spicy Whole Flounder

## 준비할 재료 [2인분] 🌱

가자미(7온즈짜리) 2마리(14온즈/400g)
들깨가루 1큰술
녹차가루 ¼작은술
붉은 고추 2개
달걀(지단) 1개

녹말가루 2큰술
다진 파 2큰술
당근꽃뜨기 6피스
식용유 3큰술

## 양념장 재료

고춧가루 1큰술
후춧가루 ½작은술
곱게 간 생강 1작은술
정종 1큰술
마요네즈 소스 1작은술

곱게 간 마늘 1작은술
볶음깨(흰색, 검은색) 1큰술
참기름 1큰술
물엿 1큰술

## 이렇게 만드세요

1 깨끗이 손질된 가자미를 구입하여 비늘만 살짝 깎은 뒤에 까만쪽으로 칼집을 낸 후 녹말가루 2큰술, 들깨가루 1큰술, 녹차가루 ¼작은술을 같이 섞은 뒤에 가자미의 앞뒤로 발라놓는다.

2 파 1대를 길쭉길쭉한 모양으로 썰어놓고 붉은 고추는 2등분하여 씨를 털어둔다. 당근 ½개는 꽃모양으로 떠놓고 달걀은 지단을 부치고 채 썰어놓는다.

3 오목한 후라이팬에 기름 3큰술을 두르고 칼집 넣은 쪽부터 굽다가 한 번 뒤집어 몸 뒤쪽으로 굽는다. 마지막에 한 번 더 칼집 넣은 쪽을 위로 올리고 골고루 섞은 양념장을 고기 위에 짝 바른다음 "2"의 파, 고추, 당근, 지단을 색스럽게 올리고 상에 낸다.

## 영양상식

▶▶ 살코기가 쫄깃 쫄깃하고 단단하여 씹히는 감촉이 좋은 가자미는 비타민 B1, B2가 풍부한 식품. 비타민 B1은 뇌와 신경에 필요한 에너지를 공급하는 작용을 하며 스트레스에 도움되는 콜라겐이 함유된 단단한 육질의 생선이다. 단백질이 풍부하고 지방질이 적어 맛이 담백하므로 다이어트하는 사람에게 인기가 있다.

## 2 Servings

## Ingredients

| | |
|---|---|
| 2 | whole flounder or sole, 7 oz. each, cleaned and scaled |
| 2 tbsp. | cornstarch |
| ¼ tsp. | green tea powder* |
| 1 tbsp. | perrila seed powder** |
| 1 | spring onion |
| 1 | egg, lightly beaten |
| 3 tbsp. | cooking oil |
| 2 | red hot chilies, seeds removed and halved |
| 6 | carrot flowers for garnish |

## Sauce

| | |
|---|---|
| 1 tbsp. | hot Korean chili powder** |
| ½ tsp. | black pepper |
| 1 tbsp. | toasted black and white sesame seeds |
| 1 tbsp. | sesame oil |
| 1 tbsp. | cornstarch |
| 1 tsp. | finely minced garlic |
| 1 tsp. | finely minced ginger |
| 1 tbsp. | rice wine or sake |
| 1 tsp. | mayonnaise |

## Preparation & Presentation

Make 2-3 shallow slits on each fish. Mix the cornstarch, green tea powder and perrila seed powder and coat fish with the mixture. Mix sauce ingredients.
Cook the egg into a thin pancake, cool and cut in strips for garnish. Heat cooking oil in a heavy skillet and pan fry both sides of the fish until nicely browned. Pour the sauce over the fish and warm. Use the chilies, egg strips and carrot flowers to garnish the fish colorfully and serve.

\* Available in Asian groceries.
\*\* Available in Korean specialty groceries.

# 녹차, 키위, 망고소스 LA갈비구이
## L.A. Ribs with Mango Sauce

## 준비할 재료 [4~5인분]

L.A.갈비 2½파운드 상추 10장

### 양념 재료

키위 1개 망고소스 1큰술
녹차가루 ½작은술 배 ½개
양파 ½개 물 3큰술
간장 ½컵 참기름 ½컵
물엿 ½컵 후춧가루 ½작은술
곱게 간 마늘 1큰술 곱게 간 생강 ½큰술
포도주 1큰술

### 이렇게 만드세요

1 키위 1개와 배 ½개, 양파 ½개를 껍질을 제거한 뒤 잘게 썰어 믹서기에 모두 넣고 망고소스 1큰술과 물 3큰술을 넣어 곱게 갈아놓는다.
2 갈비는 찬물 7컵에 30분 정도 담갔다가 물기를 닦아 놓는다.
3 오목한 큰 그릇에 "1"을 넣고 녹차가루, 후추, 간장, 참기름, 물엿, 곱게간 마늘, 곱게 간 생강, 포도주를 분량대로 넣고 잘 섞은 후 "2"의 갈비를 넣고 고기에 간이 배이게 조물조물 주물러둔다.
4 불고기 구이판이나 오븐 브로일에 굽는다.
5 상추가 준비되었으면 구운 갈비를 싸서 먹는다.

### 영양상식

▶▶ 키위 – 팩틴, 칼륨, 단백질분해 효소인 액티니진이 들어있음.
녹차 – 지방을 분해하는 작용을 함.
양파 – 유화알린 성분이 있어 혈액순환을 도움.
배 – 89%가 수분인 배는 당질, 유기산 비타민이 풍부하고 갈증을 해소해 줌.

## 4-5 Servings
### Ingredients

2½ lb. L.A. style beef short ribs**
7 cups water

### Sauce

1 kiwi, peeled, quartered
½ Asian pear, peeled, cored, cut in small chunks
½ medium onion, cut in small chunks
1 tbsp. mango sauce*
3 tbsp. water
½ tsp. green tea powder*
½ cup soy sauce
⅓ cup corn syrup
1 tbsp. minced garlic
1 tbsp. rice wine or sake
⅓ cup sesame oil
½ tsp. black pepper
½ tbsp. finely minced ginger

10 lettuce leaves, washed, patted dry

### Preparation & Presentation

Soak ribs in water 30 minutes, remove and pat dry. In a food processor, puree kiwi, pears, onion, mango sauce and water, then add remaining sauce ingredients and puree. Pour sauce over ribs to coat completely. Cook under a broiler or on a grill. Serve on a platter. Wrap bites in lettuce leaves and enjoy these succulent ribs.

\* Available in Asian groceries.
\*\* Available in Korean specialty groceries.

# 녹차가루, 오미자차에 절인 고추무침
## Green Tea Flavored Chili Dishes

## 준비할 재료 🌱

절인 고추(자팔라노Japalano) 2컵　　잣 2큰술

### 양념 재료

오미자차 1큰술　　　　　　녹차가루 ¼작은술
고추장 2큰술　　　　　　　물엿 3큰술
흑설탕 1큰술　　　　　　　곱게 다진 마늘 1큰술
곱게 다진 생강 1작은술　　고춧가루 1큰술
볶음깨(흰색, 검은색) 1½큰술　곱게 다진 잣가루 1큰술

### 이렇게 만드세요

양념재료를 모두 잘 혼합하여 오목한 냄비에 팔팔 끓인 뒤 완전히 식혀서 절인 고추 2컵을 넣고 골고루 무친다. 잣을 뿌리고 오목한 그릇에 담아낸다.

### 고추절이기

물 2갤론과 고추(꼭지까지 합쳐) 큰 김치병 1병에 소금 ½컵을 넣어 이틀동안 절인 뒤에 소금물을 버리고 고추는 물기를 뺀다. (소금물에 담그기 전에 고추를 깨끗이 씻어야 됨)

### 고추지 담그기

물 6컵, 진간장 1컵, 흑설탕 ½컵, 물엿 ⅓컵, 포도주 ⅓컵, Splenda 1 큰술, 식초 1컵을 큰 냄비에 담고 팔팔 끓인 뒤 완전히 식힌다. 절인 고추를 병에 담고, 끓여 식힌 간장물을 자작하게 부은 뒤 꼭꼭 눌러서 냉장고에 보관한다. 일주일 지난 뒤에 다시 간장물만 따라내어 끓인 뒤 식혀서 다시 고추병에 자작하게 붓는다. 끓이고 식혀 넣기를 한 달 간격으로 2번정도 더한 뒤 6개월이 지난 뒤부터 먹기 시작한다. 보통 1년에 한번 고추지를 담그면 묵은 고추가 있고, 묵은 고추 먹을동안 다시 담그면 1년 내내 떨어지지 않으므로 밑반찬으로 잘 쓸 수 있다.

★ 고추종류: 자팔라노((Japalano)고추는 8월 중순께 첫물에 따야 맵지 않고 달다. 구입시기도 8월 중순경이 좋다.

### 영양상식

▶▶ 고추는 비타민 A와 C가 풍부하며 특히 비타민C는 레몬에 버금갈 정도로 많이 들어있다. 그 밖에 비타민B1, B2, D, P와 칼슘, 철분, 식물성섬유도 풍부하다. 비타민 A와 C는 몸의 저항력을 길러주고 신진대사를 활발하게 해준다.

## Ingredients

| | |
|---|---|
| 2 cups | jalapeno chilies, stems attached |
| 2 gallons | water |
| ½ cup | salt |

## Seasonings

| | |
|---|---|
| 1 tbsp. | green (oh-me-jah) tea* |
| ¼ tsp. | green tea powder* |
| 2 tbsp. | hot Korean chili paste** |
| 3 tbsp. | corn syrup |
| 1 tbsp. | brown sugar |
| 1 tbsp. | finely minced garlic |
| 1 tsp. | finely minced ginger |
| 1 tbsp. | hot Korean chili powder** |
| 1½ tbsp. | toasted black and white sesame seeds |
| 1 tbsp. | pine nuts, finely chopped |

## Preparation & Presentation

Put the chilies, water and salt in a large jar and let stand 2 days. Discard water and pat the brined chilies dry.

To prepare as a side dish, mix seasonings thoroughly in a saucepan, bring to a boil, then let cool. Add the chilies and serve with toasted sesame seeds and pine nuts sprinkled on top.

To make jalapeno kimchi, brine the chilies as above and put in a large jar. Add a boiled then cooled marinade consisting of: 6 cups water, 1 cup dark soy sauce, ½ cup brown sugar, ⅓ cup corn syrup, ⅓ cup rice wine or sake, 1 cup vinegar and 1 tbsp. sweetener (Splenda). Refrigerate 1 week, then pour the liquid into a sauce pan. Boil, cool and pour the liquid back over the chilies. Repeat the process 2 times for 2 months. Store and enjoy this kimchi over the following 6 months.

## Note

▶▶ Jalapeno chilies are in season from mid August, and the newer, less hot, crop provides the best results.

 * Available in Asian groceries.
** Available in Korean specialty groceries.

Green Tea Flavored Chili Dishes

# 녹차, 오미자차, 들깨에 무친 백도라지

White Bellflower Root
with Perrila Dressing

## 준비할 재료 [3-4인분] 🌱

백도라지 4온즈(100g)　　　소금 1큰술

### 양념 재료

오미자차 1큰술　　　　　　들깨가루 1큰술
녹차가루 ½작은술　　　　　참기름 1큰술
흑설탕 1큰술　　　　　　　고추장 1큰술
고춧가루 1작은술　　　　　볶음깨(흰색, 검은색) 1큰술
곱게 간 마늘 1작은술　　　곱게 간 생강 ½작은술
식초 ½작은술

### 이렇게 만드세요

1  싱싱한 도라지는 얇게 찢어 소금 ½큰술에 바락바락 주물러서 떫은 맛을 없앤다. 2번 반복한 후에 찬물에 여러번 헹구어 꼭 짠다.
2  양념 재료들을 모두 넣고 "1"의 도라지를 넣고 바락바락 주물러가면서 무친 후 접시에 담아낸다.

★ 백도라지를 많은 사람들이 약도라지라고들 부른다

### 영양상식

▶▶ 도라지 – 당질과 섬유질, 무기질이 풍부한 알칼리성 식품이다. 칼슘의 함유량이 높은 것으로 알려져 있으며 철분도 다른 야채에 비해 많이 들어있는 편이다. 사포린 성분이 있어 거담작용을 하며 강장, 강정제로서의 효능도 있으므로 평소에 반찬으로 많이 이용됨.

녹차 – 비타민 B, C, E를 비롯해 철분, 칼륨, 칼슘, 식물성 섬유 등 우리 몸에 좋은 성분이 풍부. 특히 떫은 맛을 내는 타닌성분은 혈중 콜레스테롤치를 떨어뜨리고 동맥경화에도 효과가 있으며, 지방을 분해하는 작용을 하여 비만에도 효과.

## 3-4 Servings

### Ingredients

¼ lb.　　　　fresh white bellflower root** (do-rah-ji), torn in thin strips
1 tbsp.　　　salt (mixed usage)

### Dressing

1 tbsp.　　　green tea (oh-me-jah tea*)
1 tbsp.　　　perrila powder
¼ tsp.　　　green tea powder
1 tbsp.　　　sesame oil
1 tbsp.　　　Korean hot chili paste**
1 tsp.　　　Korean hot chili powder**
1 tbsp.　　　brown sugar
1 tbsp.　　　toasted sesame seeds
1 tsp.　　　finely minced garlic
½ tsp.　　　finely minced ginger
½ tsp.　　　salt

### Preparation & Presentation

Rub bellflower root with ½ tbsp. salt and rinse well. Repeat the process, then squeeze out excess liquid. Combine dressing ingredients and pour over bellflower root.  Mix well by hand. Serve as a tasty side dish.

### Note

▶▶ White bellflower root is also known as medicinal bellflower root.

\* Available in Asian groceries.
\*\* Available in Korean specialty groceries.

White Bellflower Root
with Perrila Dressing

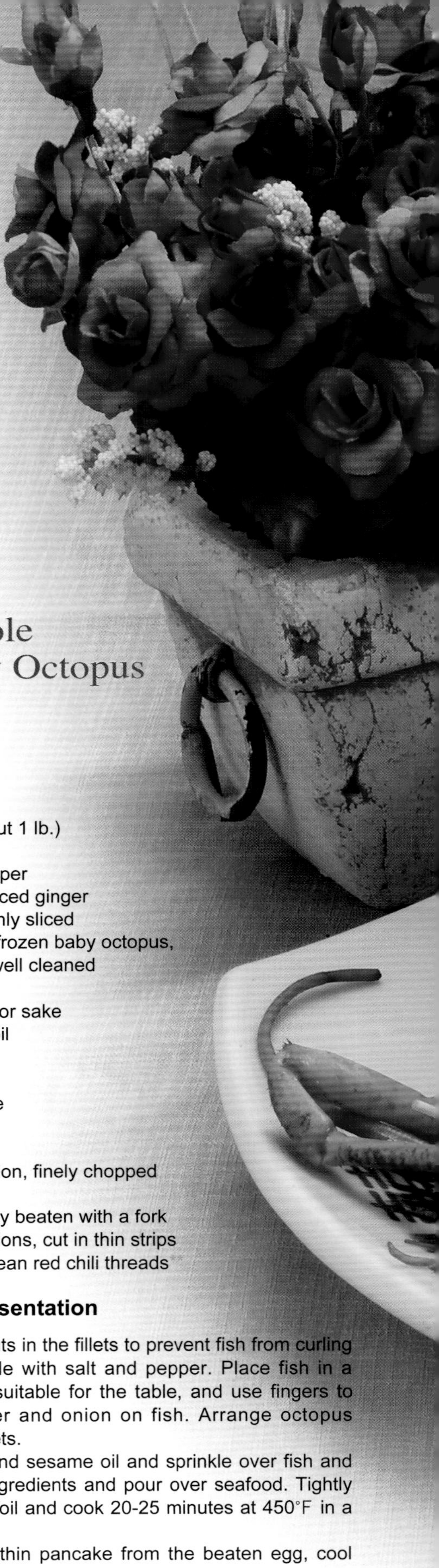

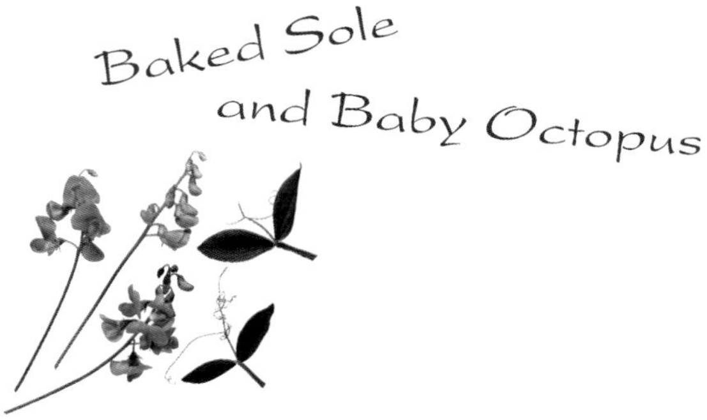


# 가자미와 주꾸미찜 Baked Sole and Baby Octopus

### 준비할 재료 [3인분]

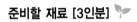

| | |
|---|---|
| 가자미 2마리(14온즈)(400g) | 주꾸미 1팩(12온즈)(341g) |
| 소금 ¼작은술 | 후추 ¼작은술 |
| 정종 ½컵 | 참기름 2큰술 |
| 물 ⅓컵 | 곱게 간 생강 1큰술 |
| 양파 ¼쪽 | 파 2뿌리 |
| 달걀지단 2큰술 | 실고추 1큰술 |

### 양념장 재료

| | |
|---|---|
| 간장 3큰술 | 설탕 1큰술 |
| 정종 1큰술 | 송송 썬 파 2큰술 |

### 이렇게 만드세요

1 가자미는 손질이 다 된 것을 구입하면 편리하며, 깨끗이 씻어 칼집을 넣고 소금 후추를 각각 ¼작은술씩 뿌린다.
2 오목하고 판판한 은박지팬에 가자미 2마리를 판판히 놓고 물 ⅓컵과 정종 ½컵, 참기름 2큰술을 혼합해둔다.
3 쭈꾸미는 골통(머리쪽)을 떼어내고 깨끗이 씻어 머리붙인 그대로 물기를 빼놓은후 "2"의 판판한 은박지팬의 가자미 양옆으로 빈틈 사이에 깔아놓고 "2"의 혼합해둔 양념을 위에 골고루 쫙 뿌린다. 곱게간 생강을 가자미 위에 골고루 바르고 양파 ¼쪽도 납작납작 썰어 위에 뿌린 뒤 은박지팬 위를 완전히 봉한 뒤에 오븐을 450℉ bake로 완전히 온도를 올린 후(pre-heat) 20–25분 정도 열을 가하면 아주 멋진 생선, 주꾸미찜이 된다.
4 고명으로 파를 아주 곱게 길게 자르고 달걀지단을 곱게 채 쳐 올리고 실고추를 뿌려 상에 낸다. 양념장도 곁들여 낸다.

#### 영양상식

▶▶ 가자미는 지방질이 적고 살이 연해 소화기능이 잘 되고 비린내가 없는 편이다. 비타민 A, B1, B2가 풍부함.

### 3 Servings

### Ingredients

| | |
|---|---|
| 2 fillets | sole (about 1 lb.) |
| ¼ tsp. | salt |
| ¼ tsp. | black pepper |
| 1 tbsp. | finely minced ginger |
| ¼ | onion, thinly sliced |
| 12 oz. | package frozen baby octopus, thawed, well cleaned |
| ⅓ cup | water |
| ½ cup | rice wine or sake |
| 2 tbsp. | sesame oil |
| Sauce | |
| 3 tbsp. | soy sauce |
| 1 tbsp. | sugar |
| 1 tbsp. | rice wine |
| 2 tbsp. | spring onion, finely chopped |
| 1 | egg, lightly beaten with a fork |
| 2 | spring onions, cut in thin strips |
| 1 tbsp. | dried Korean red chili threads |

### Preparation & Presentation

Make a few shallow cuts in the fillets to prevent fish from curling during baking. Sprinkle with salt and pepper. Place fish in a shallow baking dish, suitable for the table, and use fingers to spread minced ginger and onion on fish. Arrange octopus around or between fillets.
Mix water, rice wine and sesame oil and sprinkle over fish and octopus. Mix sauce ingredients and pour over seafood. Tightly seal baking dish with foil and cook 20-25 minutes at 450°F in a preheated oven.
In a fry pan, make a thin pancake from the beaten egg, cool and cut in thin strips for garnish.
Remove foil from baking dish. Garnish with egg strips, spring onions and chili threads and serve.

#### Note

▶▶ Available in Korean specialty groceries.

# 천사채 요리
## Seaweed Noodle Salad

### 준비할 재료 [10-12인분]

천사채 1봉지(1,000g / 2.2파운드)  씨 없는 긴 오이 1½개
삶은 새우(중간크기) 1파운드
게살(Osaki brand) 1봉지(500g, 18온즈)
한국배 2개                              사과 1개
양배추 ¼개                              무순 ½컵
Sweet 작은고추(빨강, 노랑) 각각 2개

### 양념 재료

와사비 마요네즈 소스 ½컵              Splenda ½컵
맛소금 ½작은술                        참기름 3큰술
바닷소금 ½작은술                      볶음깨 3큰술
Pina Colada(코코넛액) ½컵

## 이렇게 만드세요

1 희고 깨끗한 국수같이 생긴 천사채를 흐르는 물에 헹구어 물기를 털고 먹기좋게 가위로 듬썩듬썩 잘라 놓는다.

2 씨 없는 오이는 채 썰어 놓고 삶은 새우도 물기를 빼고 껍질이 있으면 벗겨놓는다.

3 배와 사과는 껍질을 벗겨 채 썰어둔다. 게살은 찢어놓고 양배추는 4등분하여 속의 심을 잘라낸 뒤 곱게 채 썰어둔다. Sweet 작은고추(빨강, 노랑) 각각 2개는 씨를 털고 채썰어 놓는다.

4 큰 그릇에 색을 맞추어 돌아가면서 야채와 새우, 게살을 놓고 한가운데에 천사채를 놓은 뒤 위에 무순을 약간 뿌린다.

5 먹기 직전에 골고루 섞어놓은 양념을 뿌리고 살살 무쳐낸다.

★ 천사채는 저칼로리 다이어트식품으로 다시마, 미역, 한천 등으로 만든 식품

## 10-12 Servings

### Ingredients

2 lb.    thin seaweed noodles (chun-sah-chae*) cooked per package instructions

### Dressing

| | |
|---|---|
| ¼ cup | wasabi mayonnaise* |
| 3 tbsp. | sesame oil |
| ¼ cup | pina colada mix |
| ¼ cup | sweetener (Splenda) |
| ½ tsp. | Korean seasoned salt** (maht-so-geum) |
| ½ tsp. | sea salt |
| 3 tbsp. | toasted sesame seeds |
| | |
| 1½ | seedless cucumber, cut in strips |
| 1 lb. | medium shrimp, shelled, deveined and cooked |
| 18 oz. | imitation crab sticks (Osaki brand*), torn in pieces |
| 2 | Asian pears, peeled, cored and cut in strips |
| ¼ | cabbage, shredded |
| 1 | apple, peeled, cored and cut in strips |
| 2 | red bell peppers, cut in strips |
| 2 | yellow bell peppers, cut in strips |
| ¼ cup | radish sprouts, trimmed, for garnish |

### Preparation & Presentation

Rinse noodles, drain and cut in random 2-3 inch lengths.
Mix dressing ingredients and pour in a small serving bowl.
On a serving platter, center the noodles and attractively arrange the cucumber, shrimp, crab, pears, cabbage, apple and both peppers around the perimeter. Garnish the noodles with sprouts.
At the table, toss the salad with dressing just before serving and enjoy.

\* Available in Asian groceries.
\*\* Available in Korean specialty groceries.

# 홍합 멍게초  Mussels & Sea Squirts

## 준비할 재료 [4인분] 🌱

홍합 10온즈(283g)

2큰술
잣가루 1큰술
참기름 ½작은술

멍게 8온즈(½파운드)(226g)
레몬 ½개    납작 썬 아몬드

녹말물 2큰술

## 양념 재료

참기름 2큰술
진간장 ½큰술
고추장 1큰술
곱게 다진 마늘 ½큰술
곱게 다진 생강 ½큰술
흑설탕 ½큰술

후추 ¼작은술
물엿 1½큰술
포도주 ½큰술
사과즙 1큰술
육수 ⅓컵

## 이렇게 만드세요

1 껍질을 벗겨 손질된 홍합을 구입한 뒤 연한 소금물(소금½작은술+
   물2컵)에 씻다가 다시 찬물에 헹구어 물기를 뺀다.
2 멍게는 깨끗이 장만된(Frozen) 것을 구입하여 한 개를 4피스로 잘
   라 물기를 꼭 짜둔다.
3 레몬 ½개를 홍합과 멍게에 뿌려준다.
4 양념을 모두 혼합하여 오목한 냄비에 붓고 팔팔 끓을 때 홍합과 멍
   게를 넣는다. 센 불에서 잠시 끓이다가 만들어 놓은 녹말물 2큰술
   에 참기름 ½작은술을 같이 넣고 끓고있는 홍합과 멍게에 걸죽하도
   록 붓고 불을 끈다.
5 잣가루와 납작하게 썬 아몬드를 위에 뿌려 상에 낸다.

## 영양상식

▶▶ 홍합 – 단백질이 풍부하고 지방질이 적으며 철분, 비타민A, 비타
       민B2의 좋은 보급원이며, 숙취에 좋고 알콜성 간염에 탁
       월한 효과가 있다.

## 4 Servings
## Ingredients

| | |
|---|---|
| 10 oz. | frozen, shelled packaged mussels*, thawed |
| 8 oz. | frozen sea squirts*, thawed, each quartered, patted dry |
| ½ | lemon, for juice |

## Sauce

| | |
|---|---|
| 2 tbsp. | sesame oil |
| 1½ tbsp. | corn syrup |
| ½ tbsp. | dark soy sauce |
| ½ tbsp. | rice wine or sake |
| 1 tbsp. | apple juice |
| ⅓ cup | meat stock |
| 1 tbsp. | Korean hot chili paste** |
| ½ tbsp. | finely minced garlic |
| ½ tbsp. | finely minced ginger |
| ½ tbsp. | brown sugar |
| ¼ tsp. | black pepper |
| 1 tbsp. | cornstarch, dissolved in 2 tbsp. water |
| ½ tsp. | sesame oil |
| 2 tbsp. | sliced almonds |
| 1 tbsp. | crushed pine nuts, for garnish |

## Preparation & Presentation

Rinse mussels in salted water and pat dry. Squeeze lemon juice over mussels and sea squirts.

Mix sauce ingredients in a pan, bring to a boil and add mussels and sea squirts, then cook over high heat 2 minutes. Add the cornstarch and water mix to thicken and stir in sesame oil to add a nice sheen. Transfer to a serving bowl and garnish with almonds and pine nuts.

\* Available in Asian groceries.

\*\* Available in Korean specialty groceries.

Mussels & Sea Squirts

# 삼선 해물잡채

# Stir-Fried Seafood with Vegetables

## 준비할 재료 [4인분] 🌿

불린 해삼(채 썰어) 1½컵(200g)　　소고기(채 썰어) ½컵
생새우 12마리(위에서 아래로 ½자름)
껍질 벗긴 오징어(채 썰어) 1½컵(14온즈)
파 3뿌리　　　　　　　　　양파 ½개
삶은 당면 2½컵　　　　　　불린 목이버섯 ½컵
풋고추 12개　　　　　　　　당근(채 썰어) ½컵
부추(썰어) 1½컵　　　　　　굴 소스 ¼컵
후추 ½작은술　　　　　　　설탕 1큰술
참기름 2큰술　　　　　　　곱게 다진 생강 1큰술
청주(정종) 2큰술　　　　　통마늘(납작썰어) 20피스

## 파기름 재료

식용유 ¼컵　　　　　　　　파 3뿌리

## 이렇게 만드세요

1 먼저 파기름을 만들어둔다. 식용유에 파를 듬썩듬썩 잘라넣고 파가 갈색이 될 때까지 뚜껑을 덮고 끓이다가 반드시 뚜껑을 닫은 채로 불을 끄고 한참 기다린다. 뚜껑을 열고 갈색이 된 파는 버리고 기름만 쓴다.

2 쇠고기는 살코기를 채 썰어놓고 불린 해삼도 채 썰어놓는다. 생새우는 반으로 잘라 깨끗이 씻어 물기를 빼놓고 오징어는 깨끗이 씻어 물기를 뺀 뒤에 채 썰어 준비한다.

3 파는 큼직큼직하게 썰어놓고 당면은 끓는 물에 삶아 듬썩듬썩 썰어 준비한다. 풋고추는 씨를 털어 채 썰고 양파는 껍질을 벗겨 채 썰어둔다.물에 충분히 불린 목이버섯은 깨끗이 씻어 물기를 빼고 당근은 껍질을 벗겨 채 썰어놓고 부추도 듬썩듬썩 썰어놓는다.

4 준비가 다 되면 크고 오목한 후라이팬에 파기름 만들어 놓은 것을 넣고 곱게 다진 생강과 납작 썬 마늘을 넣고 뜨거워지면 청주나 정종을 넣는다. 채 썰어놓은 소고기를 넣고 어느 정도 익으면 썰어 준비해놓은 야채(파, 풋고추, 양파, 목이버섯, 당근)를 넣고 볶다가 해물(해삼, 새우, 오징어)을 모두 같이 넣고 볶는다.

5 "4"에 굴소스, 후추, 설탕을 넣고 그 다음 당면을 넣어 같이 혼합하여 볶다가 맨 나중에 참기름과 볶음깨를 넣고 잘 저으면서 볶는다.

6 접시에 담기 직전에 준비한 부추를 넣고 한 번 더 잘 저은 후에 불을 끄고 접시에 담아낸다.

★ 각종 해산물과 야채를 푸짐하게 볶아내는 중국식 해물잡채이다. 파기름에 재료를 넣고 볶아 더욱 감칠 맛이 나고 향도 좋다.

## 영양상식

▶▶ 해삼 – 바다의 인삼이라 부른다. 단백질, 철분, 칼슘이 풍부해 입맛을 돋우고 신진대사를 활발하게 하는 스태미너식으로 인기가 있다. 칼로리가 적어 비만인 사람에게 적합한 식품이다.

## 4 Servings

## Ingredients

| | |
|---|---|
| ¼ cup | vegetable oil |
| 3 | spring onions, cleaned, trimmed |
| 1 tbsp. | fresh ginger, finely minced |
| 20 | garlic cloves, thinly sliced |
| 2 tbsp. | rice wine* |
| ½ cup | lean beef, cut in thin strips |
| 3 | spring onions, trimmed, cut in pieces on the diagonal |
| 12 | green chilies, trimmed of stems and seeds, cut in thin strips |
| ½ | medium onion, thinly sliced |
| ½ cup | softened woodear mushrooms |
| ½ cup | carrots, cut in thin pieces |
| 1½ cups | softened sea cucumber, sliced |
| 12 | medium raw shrimp, shelled and halved lengthwise |
| 1½ cups | fresh cuttlefish, cut in strips |
| ¼ cup | oyster sauce |
| ½ tsp. | black pepper |
| 1 tbsp. | sugar |
| 2½ cups | cooked transparent noodles |
| 2 tbsp. | sesame oil |
| 2 tbsp. | toasted sesame seeds |
| 1½ cups | Asian garlic chives, cut in 2 inch lengths |

## Preparation & Presentation

Heat oil in skillet over medium heat. Add 3 spring onions, turn down heat and cook 2 minutes. Turn heat off, cover, and let stand 10 minutes. Discard spring onions.

Reheat the same oil over medium and add ginger, garlic and rice wine and cook 30 seconds until fragrant. Add beef and cook 2 minutes. Add spring onions, green chilies, onions, mushrooms and carrots and cook several minutes until softened. Add sea cucumber, shrimp and cuttlefish and cook 3-4 minutes or until seafood is cooked. Stir in oyster sauce, black pepper and sugar. Fold in transparent noodles, sesame oil and toasted sesame seeds. Just before removing pan from heat, add the garlic chives. As soon as they turn bright green, serve and enjoy!

### Note

▶▶ This dish originated from a Chinese dish. The spring onion flavored oil adds an additional layer of flavor.

# 잣소스로 무친 새우와 배요리

## Shrimp with Pine Nut Dressing

### 준비할 재료 [5-6인분]

삶은 새우(½파운드)
피클오이 2개

한국배 1개
맛밤(양념된 깐밤) 15개

### 소스 재료

잣 5큰술
참기름 2큰술
맛소금 ½작은술

코코넛액 3큰술
볶은 깨 1 큰술

### 이렇게 만드세요

1 삶은 새우(중간크기 이상 큰 새우)는 꼬리를 떼고 길이로 반을 잘라 물기를 뺀다. 한국배는 껍질을 벗겨 손가락마디 크기로 납작하게 썰어놓는다.

2 피클오이는 껍질을 벗기고 반달형으로 얇게 썰고 맛밤도 납작하게 썰어놓는다.

3 소스를 만든다. 작은 믹서기에 코코넛액 3큰술과 잣 5큰술을 넣고 곱게 간다(약간 뻑뻑함). 여기에 참기름 2큰술, 볶은깨 1 큰술, 맛소금 ½작은술을 넣고 골고루 잘 저어준다.

4 먹기 전에 준비한 재료와 소스를 다 넣고 골고루 무친 뒤에 예쁜 접시에 담아낸다.

★ 오이의 향, 달콤시원한 배와 고소한 밤, 싱싱한 새우와 잣소스의 향이 함께 어울리는 최고의 일품요리이자 건강식이다.

### 영양상식

▶▶ 배 – 옛부터 변비와 배뇨에 좋다고 알려져 왔으며 성분의 80%가 수분이고 알카리성 식품이며 기침, 가래를 해소하는 데 효과가 있다.

▶▶ 밤 – 당질, 단백질, 지방, 비타민, 무기질 등의 영양소가 균형있게 들어있는 식품이다.

▶▶ 잣 – 칼로리가 높은 식품으로 지방분과 단백질, 당질, 비타민, 미네랄등을 함유하고 있어 자양강장제로 좋은 식품이다.

▶▶ 오이 – 천연의 비타민 C와 무기질, 나트륨, 칼슘 등이 상당량 함유되어 있으며 카로틴이나 비타민A도 당근을 대용할 정도로 포함되어 있다. 성분은 96%가 물로 이루어져 있다.

▶▶ 새우 – 몸을 따뜻하게 하며 냉증과 저혈압을 개선시키는 작용을 한다. 산후, 월경후에 새우를 먹으면 좋다. 강정효과가 뛰어난 고단백식품으로 혈액순환을 좋게하고 기력을 돋우므로 신장이나 간장의 피로회복에 좋은 고급식품이다.

## 5-6 Servings

### Ingredients

| ½ lb. | medium cooked shrimp, shelled, deveined, patted dry |
| 1 | Asian pear, peeled, cored, sliced shrimp sized |
| 2 | pickling cucumbers, cut lengthwise, sliced in half moons |
| 5 | sweetened chestnuts, sliced** |

### Dressing

| 5 tbsp. | pine nuts |
| 3 tbsp. | coconut milk |
| 2 tbsp. | sesame oil |
| 1 tbsp. | toasted sesame seeds |
| ½ tsp. | Korean seasoned salt** |

### Preparation & Presentation

Mix dressing ingredients and refrigerate until ready to serve.
To enjoy, toss shrimp, pears, cucumbers and chestnuts with dressing just before serving.

#### Note

▶▶ The crisp, cool cucumber and sweet pear combination is well suited to the dressing's layered, nutty flavors.

** Available in Korean specialty groceries.

Shrimp
with Pine Nut Dressing

# 죽순, 낙지, 골뱅이 잣가루 무침

## Bamboo Shoots & Seafood Salad

### 준비할 재료 [6-8인분]

죽순 1봉지(½파운드)(8온즈)  골뱅이 1 can(7.5온즈)(200g)
낙지 6온즈(150g)  느타리버섯 0.35파운드(4온즈)(100g)
파 2뿌리  양파 ½쪽
당근 ½개  빨간피망 ¼쪽
노란피망 ¼쪽  국수곤약 7온즈(198g)
소금 ½작은술  물 4컵

### 양념 재료

잣가루 2큰술  들깨가루 1큰술
굴소스 1큰술  고추장 2큰술
Hot Chili Oil ½큰술  곱게 간 마늘 1큰술
곱게 간 생강 ½큰술  참기름 3큰술
포도주 1큰술  고운 고춧가루 ½큰술
볶음통깨(흰색, 검은색) 1큰술

### 이렇게 만드세요

1  죽순은 결대로 납작하게 썰어 끓는 물에 살짝 데쳐내어 물기를 뺀다.
2  can 골뱅이는 국물은 버리고 큰 것은 반으로 잘라 물기를 뺀다.
3  낙지는 골통을 가위로 잘라내고 깨끗이 씻은 뒤 팔팔 끓는 소금물(소금 ½작은술+물 2컵)에 살짝 데쳐놓고 먹기좋게 썰어둔다.
4  느타리버섯은 손으로 찢어 끓는 물 2컵에 데쳐놓는다.
5  파는 깨끗이 씻어 길쭉길쭉 썰고 양파는 납작하게 썰어놓는다. 당근은 꽃모양으로 떠 놓는다.
6  빨간피망, 노란피망은 아주 곱게 채 썰어 놓는다.
7  국수곤약은 물에 헹구어 먹기 좋게 덤썩덤썩 썰어 놓는다.
8  모든 양념을 한데 섞고 "1"에서 "7"까지 큰 그릇에 모두 담아 무친 후 큰 접시에 담아낸다.

### 영양상식

▶▶ 죽순 – 식물성 섬유가 풍부해 변비에 좋고 콜레스테롤을 억제하는 작용을 하며 주성분은 당질과 단백질, 섬유질의 70%는 티로신, 아스파라긴, 발린, 베타인콜린 등 혈압이 높은 사람에게 좋다.

## 6-8 Servings

### Ingredients

| | |
|---|---|
| ½ lb. | bamboo shoots* (packaged in 1 lb. plastic bag) |
| 1 can | Asian snails** (7 ½ oz) |
| 6 oz. | octopus |
| ½ tsp. | salt |

### Dressing

| | |
|---|---|
| 2 tbsp. | pine nuts, finely crushed |
| 1 tbsp. | perrila seed powder** |
| 1 tbsp. | oyster sauce |
| 2 tbsp. | hot Korean chili paste** |
| 1 tbsp. | finely minced garlic |
| ½ tbsp. | finely minced ginger |
| 3 tbsp. | sesame oil |
| 1 tbsp. | red wine |
| ½ tbsp. | hot Korean chili powder** |
| 1 tbsp. | toasted black and white sesame seeds |
| ½ tbsp. | hot chili oil* |

| | |
|---|---|
| 4 oz. | oyster mushrooms, blanched, torn in bite sizes |
| 2 | spring onions, cut in 2 inch lengths |
| ½ | medium onion, sliced |
| ¼ | red bell pepper, seeds removed, cut in strips |
| ¼ | yellow bell pepper, seeds removed, cut in strips |
| 7 oz. | yam noodles*, drained, cut in 3-5 inch lengths |
| ½ | carrot, cut in flower shapes for garnish |

Cut bamboo shoots in flat bite sizes and blanch in boiling water. Cool and pat dry with paper towels. Drain snails (discard liquid), cut any large ones in half and pat dry. Clean octopus well, blanch in boiling water with ½ tsp. salt, drain, cut in bite sizes and pat dry.

Mix dressing ingredients well. Just before serving, combine all seafood and dry ingredients in a large bowl and gently toss with the dressing. Top with carrot garnish and serve.

* Available in Asian groceries.
** Available in Korean specialty grocery.

*Bamboo Shoots & Seafood Salad*

# 스칼롭 버섯요리 Scallops with Mushrooms

## 준비할 재료 [2-3인분]

스칼롭 1파운드(16온즈)
새송이버섯 3개
로멘(Romaine)
레몬 1개

파 1뿌리
양파 ½쪽
상추 12장

## 양념 재료

자장 1작은술
다진 마늘 1작은술
포도주 1작은술
Splenda (No Calorie Sweetner) 1작은술
녹말가루 1작은술
혼다시 1작은술

참기름 1큰술
다진 생강 1작은술

물 1큰술
식용유 1큰술

## 이렇게 만드세요

1 스칼롭은 찬 소금물(소금 1작은술+물 3컵)에 담가 해감을 빼야되므로 3시간 이상 담갔다가 흐르는 찬물에 깨끗이 헹구어 칼집을 적당히 넣고 물기를 뺀 뒤에 레몬 1개를 반으로 잘라 끼얹어 비린내를 제거한다.

2 새송이버섯은 적당히 납작하게 썰어놓고 파와 양파는 듬썩듬썩 썰어 놓는다.

3 오목한 후라이팬에 식용유 1큰술을 넣고 깨끗이 손질한 스칼롭을 골고루 앞뒤로 지진 뒤에 따로 담는다.

4 후라이팬에 참기름 1큰술을 두르고 다진마늘, 생강, 포도주, 혼다시를 넣고 볶다가 자장소스 1작은술을 넣고 볶는다. 여기에 "2"의 야채와 스칼롭을 넣고 볶다가 녹말물(녹말가루 1작은술+물 1큰술)을 볶고있는 스칼롭에 넣으면서 걸쭉해지면 불을 끈다. Splenda 1작은술을 넣고 접시에 담아 상추에 싸서 먹으면 일품요리가 된다.

## 영양상식

▶▶ 스칼롭은 자양, 강장에 좋을 뿐만 아니라 세포에 윤기를 주어 노화를 방지하며 혈압을 떨어뜨리는 작용을 하여 고혈압에 효과가 있다.

## 2-3 servings

## Ingredients

| | |
|---|---|
| 1 lb. | large sea scallops |
| 5 cups | water |
| 1 tbsp. | salt |
| 1 | lemon, for juice |
| 1 tbsp. | cooking oil |
| 1 tbsp. | sesame seed oil |
| 1 tsp | minced ginger |
| 1 tsp. | minced garlic |
| 1 tsp. | hon-dah-shee* |
| 1 tsp. | rice wine or sake* |
| 1 tsp. | Chinese bean paste* |
| 3 | pine mushrooms**, washed, sliced |
| 1 | spring onion, white part only, sliced on diagonal |
| ½ | medium onion, cut in scallop sized pieces |
| 1 tsp. | cornstarch |
| 1 tbsp. | water |
| 1 tsp. | sweetener (Splenda) |
| 12 leaves | Romaine lettuce, rinsed and patted dry |

## Preparation & Presentation

Soak scallops in 5 cups water with 1 tbsp. salt for 3 hours. Rinse once. Pierce each scallop with tip of sharp knife to drain water. Pat dry and squeeze juice of 1 lemon over scallops.
Heat cooking oil in a skillet, pan fry scallops and set aside.
Heat sesame oil in a sauce pan. Add ginger, garlic, hon-dah-shee, wine and bean paste and stir.
Add mushrooms, both types of onions and cooked scallops and quickly stir. Mix cornstarch, water and sweetener and gently stir into pan until sauce slightly thickens.
Serve with lettuce in a separate bowl. At the table, place a spoonful of scallops on a lettuce wrap and enjoy.

\* Available in Asian groceries.
\*\* Available in Korean specialty grocery.

*Scallops with Mushrooms*

# 아보카도 소스에 브로콜리, 스칼롭요리 Scallops in Avocado Sauce

## 준비할 재료 [5-6인분]

브로콜리(7온즈) 200g
스칼롭(조개살, 9온즈) 250g
한국배 1개
파인애플(썬 것) 1컵

중간크기 삶은 새우 25마리
피클오이 2개
싸리버섯 1컵

## 소스 재료

작은 양파 ½개
잣 1컵
납작 썬 아몬드 2큰술
can 파인애플(설탕이 들어있지 않고 국물, 건더기 포함) 15½온즈(432g)

아보카도 1개
정종 ½큰술
바닷소금 ½큰술

## 이렇게 만드세요

1 생 브로콜리는 잘 씻어 먹기좋게 자른다. 물 1컵에 소금 ¼작은술을 넣고 끓을 때 브로콜리를 넣어 잠깐 데쳐낸 뒤 찬물에 차게 헹구어 놓는다.

2 삶은 새우는 물기를 빼서 준비한다. 스칼롭은 소금물(소금1작은술+물3컵)에 3시간 이상 담구어 해감을 뺀다. 조갯살이 크면 먹기좋게 찢어서 찬물에 헹구고 냄비에 물 2컵과 소금 ¼작은술을 넣고, 끓을 때 스칼롭을 넣어서 살짝 데친 후에 다시 찬물에 차게 헹궈 냉장고에 보관한다.

3 피클오이는 깨끗이 씻어 반달형으로 썰어놓고 배는 껍질을 벗겨 오이처럼 썰어둔다. 싸리버섯은 먹기좋게 찢어 끓는 물에 살짝 데쳐 물기를 꼭 짜놓고 파인애플도 배와 같이 먹기좋게 썰어 준비한 뒤 냉장고에 보관한다.

4 소스만들기- 껍질을 벗긴 양파를 잘게 썰고 아보카도 역시 껍질을 벗겨 잘게 썰어둔다. can 파인애플과 잣, 정종 등 모든 재료를 한데 섞어 믹서기에 곱게 갈아 냉장고에 보관한다.

5 큰 접시에 7가지 재료를 색에 맞추어 담고 먹기 직전에 만든 소스를 골고루 뿌리고 잘 저은 후에 바닷소금으로 간을 하여 상에 낸다. 맨 위에 아몬드를 뿌려 장식한다.

## 영양상식

▶▶ 아보카도 - 비타민 E가 풍부한 아보카도는 "숲에서 나는 버터"라 불린다.
브로콜리 - 서양 채소 중 가장 보편적으로 쓰이는 것 중의 하나이며 비타민A와 C가 풍부하고 칼륨, 인, 칼슘 등 각종 무기질이 많이 들어있다.
양파 - 매운맛은 "유화알린"이라는 성분으로 신진대사를 활발하게 해준다.

## 5-6 Servings

### Ingredients

| | |
|---|---|
| 9 oz. | scallops |
| 3 cups | water |
| 1 tsp. | salt |
| 2 cup | water |
| ¼ tsp. | salt |
| 7 oz. | broccoli crowns, cut in bite sizes |
| 1 cup | water |
| ¼ tsp. | salt |

### Sauce

| | |
|---|---|
| 1 | avocado, peeled, seed removed, chopped |
| ½ | small onion, chopped |
| 15 oz. | canned pineapple with juice, no added sugar |
| 1 cup | pine nuts |
| ½ tbsp. | rice wine or sake |
| 1 tbsp. | sea salt |
| | |
| 25 | medium shrimp, shelled, deveined, cooked |
| 2 | pickling cucumbers, halved lengthwise and sliced |
| 1 | Asian pear, peeled, cored and cut in thin strips |
| 1 cup | oyster mushrooms, blanched, torn in bite sizes |
| 1 cup | pineapple chunks, each cut in half |
| 2 tbsp. | sliced almonds |

### Preparation & Presentation

Soak scallops in 3 cups water with 1 tsp. salt for 3 hours. Rinse in cold water. Boil 2 cups water with ¼ tsp. salt and cook scallops quickly, rinse in cold water and pat dry.
Blanch broccoli in 1 cup boiling water and ¼ tsp. salt, rinse in cold water and pat dry.
Puree sauce ingredients until very thick and pour in a small serving bowl.
Attractively arrange all the prepared ingredients on a serving platter and sprinkle with almonds. At the table, toss with avocado dressing and serve.

*Scallops in Avocado Sauce*

궁중요리
Well &
-Being
▶▶ Part 3

# 다시마 쌈말이 Kelp Rolls

## 준비할 재료 [12–14인분] 🌱

쌈다시마용 1봉지 10온즈 (283g)
Osaki게맛살 ½봉지 8.8온즈(250g)　　느타리버섯 1컵
얇게 썬 불고기감 3온즈(세로5인치, 가로2인치, 20피스 정도)
채 썬 오이 2컵(피클오이 2개)　　채 썬 무 1컵(중간무 ¼쪽)
정종 3큰술　　참기름 1큰술

### 불고기양념

간장 1큰술　　설탕 2큰술
참기름 2큰술

### 삼배초

식초 1큰술　　설탕 2큰술
소금 ¼작은술

## 이렇게 만드세요

1 쌈다시마용 1봉(10온즈)을 구입하여 소금이 다 없어질 때까지 바락바락 주물러 씻어 찬물에 담갔다가 손바닥 크기로 잘라서 팔팔 끓는 물에 정종 3큰술을 넣고 살짝 데쳐낸 다음 물기를 뺀다.
2 느타리버섯은 잘 찢어 깨끗이 씻은 후 참기름을 1큰술 넣고 살짝 볶아 놓는다.
3 게살은 반으로 잘라 놓든가 그냥 모양 그대로 쓴다.
4 얇은 고기(불고기감)는 불고기양념(간장 1큰술, 설탕 2큰술, 참기름 2큰술)에 재웠다가 후라이팬에 납작하게 구워 놓는다.
5 채 썬 오이를 2컵 준비하고 무도 채 썰어 삼배초(식초 1큰술, 설탕 2큰술, 소금 ¼작은술)에 재웠다가 물기를 꼭 짠다.
6 쌈다시마를 먼저 맨 밑에 깔고 그 위에 구운 불고기를 납작하게 펴서 깔고 김밥 싸듯이 게맛살을 올린다. 절인 무, 오이, 버섯을 차례로 줄맞추어 올린 뒤 돌돌 말아 먹기 좋게 썰어 접시에 모양있게 담는다.

### 영양상식

▶▶ 다시마 – 단백질의 주성분 '글루타민산'으로 감칠맛이 나며 칼슘, 칼륨, 요오드가 풍부한 알칼리성식품. 섬유질이 풍부하며 대장의 운동을 도와 음식의 유해물질을 빨리 배설시키는 운동을 한다. 면역력을 증강시켜 암과 각종 질병도 예방함.

Kelp Rolls

## 12 -14 servings

### Ingredients

| | |
|---|---|
| 10 oz. | fresh kelp, halved lengthwise |
| ½ tsp. | salt |
| 3 tbsp. | sake |
| 1 cup | oyster mushrooms |
| 1 tbsp. | sesame oil |
| 20 | thin beef slices, each 5 x 2 inches |

### Beef Marinade

| | |
|---|---|
| 1 tbsp. | soy sauce |
| 2 tbsp. | sesame oil |
| 2 tbsp. | sugar |

### Radish and Cucumber Dressing

| | |
|---|---|
| 1 tbsp. | vinegar |
| 2 tbsp. | sugar |
| ¼ tsp. | salt |

| | |
|---|---|
| 2 cups | pickling cucumber, cut in thin strips |
| ¼ | medium daikon radish, peeled, cut in thin strips (about 1 cup) |
| 8 oz. | imitation crab sticks (Osaki brand), halved lengthwise |

### Preparation & Presentation

Rub salt into kelp by hand, then rinse kelp thoroughly in cold water. To a pot of boiling water, add sake, blanch kelp, drain and pat dry. Cut kelp in pieces, each about 3 x 5 inches, and set aside.

Heat sesame oil in skillet, stir fry mushrooms 2-3 minutes and set aside.

Mix beef marinade ingredients. Gently coat beef with marinade. In a hot skillet, quickly cook the beef, keeping slices as flat as possible.

Mix dressing ingredients. Sprinkle half the dressing over the cucumber strips in a bowl. Repeat with the radish strips in another bowl. Let both stand until vegetables look slightly wilted, then gently squeeze the liquid out of the vegetables.

To serve, spread a piece of kelp on a work surface and top with a bit of beef, mushroom, cucumber, radish and imitation crab sticks, using just enough to be able to roll the kelp us like a jellyroll or sushi.

Repeat with the remaining ingredients. Cut each roll in bite size pieces and serve.

# 새우, 망고, 파인애플
## 소스 튀김    Fried Shrimp in Mango Pineapple Sauce

### 준비할 재료 [ 8-10인분]

중간이상 큰 새우(칵테일용) 2파운드    100%오렌지망고쥬스 1컵
can 파인애플 다진 것 ½컵    망고소스(100%) ½컵
코코넛액(Pina Colada) ½컵    스시용 마요네즈 소스 ½컵
정종 1큰술    바다소금 ¼작은술
녹말가루 3큰술    튀김가루 1컵
물 1컵    식용유 3컵
녹말물 3큰술    검은 깨 2큰술

### 이렇게 만드세요

1 꼬리달린 새우(꼬리없는 새우도 무방)는 깨끗이 씻어 물기를 뺀 뒤 녹말가루에 묻혀 냉장고에 30분 이상 둔다.

2 튀김가루 1컵에 물 1컵을 넣고 잘 저은 후에 냉장고에 보관했던 새우를 같이 넣고 골고루 버무려준다.

3 오목한 후라이팬에 식용유를 넣고 170°F정도 될 때 "2"의 새우를 튀겨놓는다.

4 오렌지망고쥬스와 can 파인애플, 망고소스, 코코넛액, 마요네즈소스, 정종, 소금을 오목한 냄비에 분량대로 모두 넣고 잘 저은 뒤 끓인다. 녹말물을 넣어 걸쭉하게 만든다.

5 후라이팬에 "4"의 소스 ½을 먼저 넣고, 튀긴 새우도 ½을 넣은 뒤 골고루 잘 어울리도록 살살 저어둔다. 나머지도 같은 방법으로 한다. 두 번에 나누어서 하면 더욱 쉽다. 접시에 담고 검은 깨를 뿌린다.

★ 쥬스로 요리를 하여 설탕이 필요치 않고 기름도 튀김 외에 필요치 않아 아주 새콤달콤하며 산뜻하다. 조리하기도 편하고 쉽다.

## 8-10 Servings
### Ingredients

| | |
|---|---|
| 2 lb. | large shrimp, peeled, deveined, patted dry |
| 3 tbsp. | cornstarch |
| 1 cup | seasoned flour mix for frying** |
| 1 cup | water |
| 3 cups | cooking oil |
| 2 tbsp. | toasted black sesame seeds for garnish |

### Sauce

| | |
|---|---|
| 1 cup | orange-mango juice* |
| ½ cup | pineapple juice |
| ½ cup | mango sauce |
| ¼ cup | pina colada mix |
| ½ cup | Japanese mayonnaise* |
| 1 tbsp. | rice wine or sake* |
| ¾ tsp. | sea salt |
| 3 tbsp. | water |
| 1½ tbsp. | cornstarch |

### Preparation & Presentation

Coat shrimp with cornstarch and refrigerate 30 minutes. Mix seasoned flour with water for batter.
Heat oil to 170°F. Dip shrimp in batter and fry until crispy.
Mix sauce ingredients in a skillet and boil until thickened. Remove half of sauce and reserve. Fold ½ the shrimp into the sauce in the skillet and remove to a platter. Repeat with remaining shrimp and reserved sauce. Sprinkle with sesame seeds and serve.

### Note
▶▶ The fruit juices add enough sweetness to the dish, so no added sugar is required.

\* Available in Asian groceries.
\*\* Available in Korean specialty groceries.

*Fried Shrimp*
*in Mango Pineapple Sauce*

# 홍어찜 Steamed Skate Wings

## 준비할 재료 [5-6인분] 🌱

홍어 2마리(각 12온즈)
참기름 3큰술
달걀 2개
실고추 1큰술

소금 ½큰술
정종 2큰술
석이버섯 1장
식용유 2큰술

## 이렇게 만드세요

1  홍어의 등쪽에 껍질이 벗겨져 있던가 손질해 놓은 것을 구입하면 일손이 덜하고 쉽다. 만약 손질해 놓지 않은 경우에는 머리부분의 단단한 뼈에 긁히지 않도록 주의하면서 한 손으로 홍어를 잡고 한 손으로 껍질을 벗겨낸 뒤 뒤집어서 배쪽으로 칼집을 넣어 내장을 전부 빼내고 깨끗이 씻는다.

2  물기를 빼고 소금을 골고루 뿌려서 채반에 홍어를 담고 소금기가 충분히 배이고 물기도 마르도록 2~3일간 말린다.

3  구덕구덕하게 마르면 깨끗한 종이타올로 자근자근 눌러 닦아낸 뒤 찜통에 김이 오르면 베보자기를 깔고 홍어를 베보자기에 싸서 뚜껑을 덮고 센 불에 찐다. 홍어가 거의 익으면 정종을 뿌려 향미를 돋운 후에 참기름을 바르고 다시 한 번 쪄낸다.

4  달걀은 황백으로 나눈 뒤 노른자는 물 1큰술과 소금을 약간 넣고 조심스럽게 타지않게 구워 곱게 채 썰고 석이는 끓는 물에 살짝 데친 뒤 곱게 채 썬다. 만들어 놓은 홍어를 먹기 좋게 썬 다음 그 위에 흰자, 노른자, 석이, 실고추를 장식하여 접시에 담아낸다.

★  홍어는 살이 단단하고 붉은 색을 띠는 중간 크기의 싱싱한 참홍어를 준비하고 가오리와 혼동하기 쉬우므로 몸에 점이 없고 입이 뾰족하고 긴 것을 골라야 한다. 톡 쏘는 독특한 맛과 냄새를 가진다.

## 5-6 Servings

## Ingredients

| | |
|---|---|
| 2 | skate wing**, (each 12 oz.) ready to use |
| ½ tbsp. | salt |
| 2 tbsp. | rice wine or sake |
| 3 tbsp. | sesame oil |
| 2 tbsp. | cooking oil |
| 2 | eggs, separated, lightly beaten |
| 1 | woodear mushroom, blanched, cut in thin strips |
| 1 tbsp. | finely shredded chili thread** for garnish |

## Preparation & Presentation

Sprinkle skate wings with salt and let stand 2-3 days while salt extracts water and skate becomes about half dried.  Pat well to dry.

Line a steamer with a kitchen tea towel (not terrycloth), put in skate, cover steamer with another towel to prevent moisture from dripping on skate, put the lid on steamer and steam skate on high heat 20 minutes or until almost cooked. Sprinkle skate with sake and sesame oil and steam until cooked.

Heat cooking oil and make a thin pancake of egg whites, then repeat with egg yolks. Cut pancakes in strips for garnish.

Carefully place skate on a serving platter, top with mushrooms, egg strips and chili threads and enjoy.

### Note

▶▶ Skate wings should be firm and odorless with a pinkish hue. A whole skate looks similar to a ray but has no spots on its skin.

** Available in Korean specialty groceries.

# 베이비 바닷가재 꼬리요리
## Petite Lobster Tails

## 준비할 재료 [3-4인분]

Baby Lobster Tails 12피스(길이 4인치, 넓이 1½ 인치)
버터 1큰술

### 소스재료

망고 1개                                    Sweet Mustard(겨자) 1큰술
Frozen concentrate 오렌지쥬스 1큰술

### 이렇게 만드세요

**1** 소스를 먼저 만들어 준비하면 편리하다. 망고 1개를 껍질을 벗기고
먹기 좋게 몇 조각으로 자른 뒤 Frozen concentrate 오렌지쥬스
1큰술과 같이 작은 믹서기에 곱게 갈아놓는다. 여기에 Sweet
Mustard(겨자)를 1큰술 넣고 잘 혼합하여 골고루 저어주면 소스는
다 된 것이다.

★ 색깔이 아주 노랗고 담백한 소스로 매콤달콤하다.

**2** 먼저 꼬리 부분 작은 베이비 가재를 몸안쪽으로 가위로 돌려가며
몸쪽 껍질을 자른 뒤에 깨끗이 씻어 물기를 턴다. 오븐 은박지에
차례로 쫙 놓고 위에 버터를 바른 뒤 오븐 브로일에 가재를 넣고
2-3분 정도 구워내면 된다. 잘 구운 가재는 껍질이 빨갛고 몸살은
하얗다. 다 구운 가재를 접시에 담고 그 위에 만들어 놓은 망고소
스를 가재살이 보이지않게 충분히 듬뿍 바른 뒤에 먹는다. 집에서
만든 최고급 일품요리가 된다.

★ 만드는 과정이나 만드는 시간이 아주 쉽고 간편하며 저렴한 가격으
로 특이한 요리를 맛볼 수 있다.

## 3-4 Servings

### Ingredients

12            lobster tails, each 1-2 oz., about 4 inches long
1 tbsp.       melted butter

### Sauce

1             medium mango, very ripe
1 tbsp.       frozen concentrated orange juice
1 tbsp.       hot mustard

### Preparation & Presentation

Use scissors to cut off the whitish, flat underside portion of each
lobster shell, leaving the meat intact in the remaining shell. Brush
meat with butter, broil 2-3 minutes, so meat is opaque and shells
are bright red.
To make sauce (can be done ahead), cut mango in half, remove
seed, scoop out the pulp and, in a blender, flash process. Add
orange juice and mustard and blend until smooth.
To serve, place lobster tails meat side up on a platter, pour sauce
generously on each and enjoy!

# 생새우 두부요리 Baked Stuffed Shrimp

## 준비할 재료 🌱

생새우(큰 것) 12마리
두부(잘게 다짐) ½컵
달걀 1개
녹말가루 1큰술
마사꼬알 3큰술
소금 ¼작은술

Osaki게살(3피스 정도, 잘게다짐) ½컵
풋고추(잘게 다짐) 1개
Sweet Mustard 1작은술
Splenda ½작은술
후추 ¼작은술
식용유 1큰술

## 이렇게 만드세요

1 큰새우는 꼬리만 남기고 껍질을 벗기고 안쪽으로 칼집을 넣어 꼬리 부분부터 배쪽 끝까지 납작하게 새우를 만든 후 요리할 때 오므러 들지 않게 칼 등으로 앞뒤로 두들겨 판판하게 만든다. 큼직하고 오목한 은박지 그릇에 식용유 1큰술을 바른 뒤에 손질한 새우 12피스를 쫙 펴 놓는다.

2 오목한 그릇에 잘게 다진 Osaki게살 3피스와 잘게 다진 두부 ½컵, 곱게다진 풋고추 1개, 달걀 1개를 깨뜨려 담는다. 여기에 스윗머스타드 1작은술과 녹말가루 1큰술, 스프랜다 ½작은술, 후추 ¼작은술, 소금 ¼작은술을 넣고 골고루 섞어둔다.

3 오븐을 375℉에 미리 켜 놓는다.

4 은박지에 쫙 펴놓은 새우 위에 "2"의 모두 섞은 재료를 새우의 배가 보이지 않도록 볼록하게 올리고 미리 켜 놓은 오븐(375℉)에 10분 정도 굽다가 다시 마사꼬알을 맨위에 올리고 10분 더 구운 뒤 꺼낸다.

## 영양상식

▶▶ 새우 – 단백질, 칼슘, 각종 비타민이 풍부한 강장, 강정식품이며 각종 성인병에 효과가 있다. 냉증, 저혈압, 피곤, 식욕부진, 정력감퇴에 좋으며 껍질에는 항암작용을 하는 요소가 있다.

## Ingredients

| | |
|---|---|
| 12 | large shrimp, shelled and deveined, leaving tails intact |
| 1 tbsp. | cooking oil |
| ½ cup | imitation crab sticks (Osake brand), finely chopped |
| ½ cup | tofu, mashed with hands |
| 1 | green chili, seeds removed, finely chopped |
| 1 | egg, beaten |
| 1 tsp. | mild mustard |
| 1 tbsp. | cornstarch |
| ½ tsp. | artificial sweetener (Splenda) |
| ¼ tsp. | black pepper |
| ¼ tsp. | salt |
| 3 tbsp. | masago roe*, as garnish |

## Preparation & Presentation

Make tiny cuts across underside of each shrimp to help keep them flat and prevent curling during cooking, then use a cleaver to gently flatten the deveined side for the stuffing. Line the bottom of a shallow baking dish with foil and brush with cooking oil. Lay all shrimp deveined side up.
Combine remaining ingredients except the masago roe. Put a spoonful of mixture on top of each shrimp, gently pressing it, to cover the shrimp except the tails.
Bake in a 375°F preheated oven 10 minutes. Sprinkle roe on top of each shrimp and bake 10 minutes more. Serve warm.

✻ Available in Asian groceries.

Baked
Stuffed Shrimp

Fish
with Black Bean Sauce

# 생선
# 자장소스 요리
## Fish with Black Bean Sauce

### 준비할 재료 [5-6인분]

흰살 생선(12온즈/350g)(도톰하게 납작 썰어) 20피스정도
삶은 아스파라가스(아주 가늘고 작은 종류) 2인치정도 썰어 1컵
납작 썬 아몬드 2큰술          식용유 3컵
녹말가루 1컵          튀김가루 1컵+물 ½컵

### 양념 소스 재료

매미간장 ½큰술          자장소스 1큰술
참기름 1큰술          포도주 1큰술
곱게 다진 마늘 ½큰술          물엿 ½큰술
Hot Chili Sesame oil ½작은술          물 ¼컵
녹말가루 ½큰술 + 물 2큰술 + 참기름 1큰술

### 이렇게 만드세요

1  흰살 생선은 물기를 종이타올로 자근자근 눌러 닦고 납작도톰하게
   썰어(가로, 세로 3인치 정도) 20조각 정도 만들어 녹말가루에 살짝살
   짝 묻혀 놓았다가 튀김가루 옷을 입히고 식용유에 2번 튀겨 놓는다.
2  양념소스는 매미간장 ½큰술, 자장소스 1큰술, 참기름 1큰술, 포도주
   1큰술, 곱게 다진 마늘 ½큰술, 물엿 ½큰술, Hot Chili Sesame oil
   ½작은술, 물 ¼컵을 함께 넣고 끓이다가 녹말가루에 물과 참기름을
   넣고 잘 저은 후에 끓고 있는 소스에 조금씩 넣다가 걸쭉해지면 마
   지막으로 삶은 아스파라가스를 넣고 골고루 잘 젓는다. 불을 끄고
   튀겨놓은 생선을 예쁜 접시에 먼저 담고 각 생선 위에만 아스파라가
   스와 함께 소스를 골고루 뿌려주고 맨 위에 납작하게 썰어놓은 아몬
   드를 뿌려 마무리한다.

### 영양상식

▶▶ 아스파라가스 – 피로회복, 신경통, 동맥경화, 고혈압에 좋고 아미
    노산의 일종인 아스파라긴산, 루틴 그 밖에 비타
    민 A, C, E, 칼슘, 인 등이 풍부하여 신진대사를
    활발하게 한다.

## 5-6 Servings
### Ingredients

| | |
|---|---|
| 12 oz. | firm white fish, cut in about 20 pieces |
| ½ cup | cornstarch, as needed |
| 1 cup | seasoned flour |
| ½ cup | water |
| 3 cups | cooking oil |

| Sauce | |
|---|---|
| ½ tbsp. | memi sauce* |
| 1 tbsp. | sesame oil |
| ½ tbsp. | minced garlic |
| 1 tbsp. | black bean paste* |
| 1 tbsp. | rice wine or sake |
| ½ tbsp. | corn syrup |
| ½ tsp. | hot chili sesame oil* |
| ¼ cup | water |
| ½ tbsp. | cornstarch |
| 2 tbsp. | water |

| | |
|---|---|
| 1 cup | asparagus, cut in 2 inch lengths |
| 2 tbsp. | sliced almonds |

### Preparation & Presentation

Coat fish with cornstarch. Mix seasoned flour and water into a batter.
Heat cooking oil. Dip fish in batter and fry pieces until crisp (for best
texture, quickly fry each piece twice).
Combine all sauce ingredients, except cornstarch and water, in a
skillet and bring to a boil. Mix cornstarch and water and add to
thicken. Add asparagus and quickly stir fry.
On a serving platter, pour sauce over fish and garnish with almonds.
Enjoy this satisfying dish!

\* Available in Asian groceries.

# 동태 쌀뜨물 맑은 Pollack Soup

## 준비할 재료 [3인분] 🌱

동태 2마리(20온즈)　　　　　쌀뜨물 12컵
무(중간크기 1개, 납작 썰어) 3컵　　배춧잎(3장 썰어) 3컵
파 5대(작은 파 1단, 1온즈)　　곤약(납작 썰어) ½컵(3온즈)
빨간고추 2개　　　　　　　새우젓 1큰술
쑥갓 1온즈

## 양념 재료

후추 ½작은술　　　　　　　곱게 간 마늘 1큰술
소금마늘가루 ½작은술　　　　정종 1작은술

## 이렇게 만드세요

1  동태는 구입해서 지느러미와 날개 등 지저분한 것은 가위로 자른
　　뒤 깨끗이 씻어 통째로 쌀뜨물에 담갔다가 머리와 몸통 1마리가 5
　　등분이 되도록 토막을 내고 소금 ¼작은술을 뿌린다.
2  무는 껍질을 벗기고 납작하게 썰어 3컵 준비하고 배춧잎 3장 정
　　도 잘 씻어 납작하게 썰어놓고 파는 길쭉하게 썰어놓는다.
3  쌀을 씻은 뽀얀 쌀뜨물 12컵을 오목한 냄비에 붓고 무 3컵과 썰어
　　놓은 배추 3컵을 넣고 끓기 시작하면 동태를 넣는다. 한소큼 끓이
　　다가 거품이 뜨면 걷어내고 계속 끓이다가 파와 빨간고추 2개를 2
　　등분씩 하여 넣고, 새우젓 1큰술을 넣어 끓이다가 후추와 곱게 간
　　마늘, 소금마늘가루, 곤약 납작썬 것, 정종 1작은술을 모두 넣고 거
　　품이 뜨면 솥뚜껑을 열어 거품을 걷어내고 2-3분정도 더 끓이다가
　　불을 끄고 국대접에 담아낸다. 쑥갓이 준비되었으면 위에 올린다.

★ 초겨울의 맑은 동태국은 아주 시원하고 담백하다.
★ 한류성 어종으로 얼리지 않은 것은 생태, 말린 것은 북어, 얼린 것
　　은 동태라고 하며 알은 명란이라 하여 명란젓을 만든다.
　　흰살 생선 중 가장 다양하게 사용된다.

## 영양상식

▶▶ 동태 – 특히 지방함량이 적어 맛이 개운하고 간을 보호해주는 메
　　　티오닌과 같은 아미노산이 풍부해 해장국으로 많이 이용
　　　된다.

## 3 Servings

## Ingredients

| | |
|---|---|
| 2 | frozen Pollack**, 10 oz. each, tails and gills trimmed, rinsed well |
| 12 cups | rice water (see Note) |
| ¼ tsp. | salt |
| 1 | medium Korean radish**, peeled, sliced in bite sizes (about 3 cups) |
| 3 leaves | Napa cabbage, cut in ½ inch wide strips |
| 5 | spring onions, cut in 3 inch lengths |
| 2 | red chilies, halved and seeds removed |
| 1 tbsp. | shrimp sauce (Thai*) |
| ½ tsp. | black pepper |
| 1 tbsp. | finely minced garlic |
| ½ tsp. | garlic salt |
| 1 tsp. | rice wine or sake |
| ½ cup | yam cake**, sliced |
| ½ cup | edible chrysanthemum leaves* (sue-kaht) for garnish |

## Preparation & Presentation

Soak both fish in rice water 10-15 minutes.  Reserve the rice water, and cut each fish in 5 pieces and sprinkle with salt.

Boil the rice water in a large pot.  Add all the other ingredients except the chrysanthemum leaves. When froth forms on top, skim it off with a spoon, then boil the soup 2-3 minutes more.

Serve in bowls with chrysanthemum leaves on top as a garnish.

### Note

▶▶ To make rice water, rinse 3 cups short grain Korean rice twice to clean it and pour off almost all the water. Then gently rub the rice grains between your hands for several minutes until the mixture turns milky. Add 12 cups of water to the rice and strain the cloudy liquid to use as rice water, reserving the rice for another use. Pollack, similar to cod, is a Korean staple and can have three different names depending on its form: when fresh, it is called sang-tae; when dried, it is book-uh; and when frozen, it is called dong-tae. Pollack roe also has its own name, myung-lan.

 * Available in Asian groceries.
** Available in Korean specialty groceries.

# 찢은 북어포, 분홍마른새우, 무말랭이 무침 Pollack Side Dish

## 준비할 재료 🌱

찢은 북어채 1봉지(8온즈 / 226g)  분홍마른새우 2컵
무말랭이 1봉지(6온즈 / 170g)  물 4컵
모찌꼬(찹쌀) 가루 4큰술  맛소금 1작은술

## 양념장 재료

물엿  ⅓컵  흑설탕 ⅓컵
곱게 다진 마늘 3큰술  고춧가루 1컵
볶은 깨(흰색, 검은색 섞어) ⅓컵  바닷소금 1작은술
오징어액젓(타일랜드제품) ⅓컵

## 북어 양념장 재료

볶음고추장  2큰술  고춧가루 1큰술

## 이렇게 만드세요

1 찢은 북어채는 찬물에 1시간 이상 담갔다가 깨끗이 씻어 부드러워 지면 물기를 3번, 4번 꼭 짜놓고 여기에 볶음고추장 2큰술과 고춧 가루 1큰술을 넣고 조물조물 무쳐 물들여 놓는다.
2 무말랭이는 물에 충분히 불린 뒤에 깨끗이 몇 번 씻어 채에 받쳐 물기를 빼놓는다.
3 물4컵에 모찌꼬가루(찹쌀가루) 4큰술을 넣고 잘 풀어 풀을 쑨 뒤에 식혀놓는다. 여기에 양념장 재료들(물엿, 흑설탕, 곱게 다진마늘, 고 춧가루, 볶은 깨, 바닷소금, 오징어액젓)을 분량대로 넣고 잘 섞는 다. 여기에 먼저 무말랭이를 넣고 버무른 뒤 찢은 북어채 무쳐놓은 것을 넣고 골고루 치대면서 잘 섞는다. 마지막으로 분홍마른새우를 넣고 몇 번 더 골고루 무친 뒤에 간을 보아 싱거우면 맛소금을 1작 은술 조심스럽게 뿌린 뒤 마무리한다.

★ 가을철에 밑반찬으로 아주 특이한 햇무말랭이를 먹을수 있다. 북어 채, 마른분홍새우는 칼슘이 듬뿍 든 음식으로 맛이 아주 담백하다.

## Ingredients

| | |
|---|---|
| 8 oz. | shredded dried pollack** |
| 2 tbsp. | hot seasoned Korean chili paste** |
| 1 tbsp. | hot Korean chili powder** |
| 4 cups | water |
| 4 tbsp. | mochiko* (Japanese glutinous rice powder) |

## Seasoning

| | |
|---|---|
| ⅓ cup | corn syrup |
| 3 tbsp. | minced garlic |
| ¼ cup | black and white toasted sesame seeds |
| ⅓ cup | brown sugar |
| 1 cup | hot Korean chili powder** |
| ⅓ cup | cuttlefish sauce (Thai)* |
| 6 oz. | dried radish*, softened water, rinsed, patted dry |
| 2 cups | dried tiny shrimp* |
| 1 tbsp. | Korean seasoned salt** or to taste |

## Preparation & Presentation

Completely cover Pollack with cold water for 1 hour. Rinse well and pat dry.
Mix chili paste and chili powder well and combine with Pollack. Boil water and mochiko in a pot and cool. Add seasoning ingredients and softened radishes, then add pollack and shrimp and thoroughly combine.
Sprinkle with seasoned salt to taste and enjoy.

### Note

▶▶ This is an especially tasty fall and winter dish.

 * Available in Asian groceries.
** Available in Korean specialty groceries.

# 연어와 게살요리 Baked Salmon with Crab Meat

## 준비할 재료 [6–7인분] 🌱

납작한 큰 덩어리 연어  1½파운드
Osaki 게살 ½파운드(250g)
식용유 1큰술

후추 ¼작은술
마사꼬알(스시용) 4큰술
마요네즈 소스 3큰술 정도

## 이렇게 만드세요

1  뼈없이 포 떠놓은 연어 1½파운드를 구입하고 종이타올로 자근자
근 누른 생선을 판판한 은박지에 식용유를 밑에 바르고 생선살이
위로, 껍질이 밑으로 가도록 은박지에 담고 오븐 베이크 375°F에
맞춘 뒤 뚜껑을 덮지 않고 10분 정도 굽는다.
2  생선이 반 이상 익었을 때 생선 위에 약간의 후추를 조심성 있게
뿌린 뒤 그 위에 마요네즈 소스를 바르고 또 그 위에 Osaki 게살
(250g)을 곱게 다져 골고루 얹은 뒤에 마사꼬알(오렌지색, 스시용)
을 위에 골고루 뿌린다. 은박지를 뚜껑으로 틈이 보이지 않게 사방
으로 에워싼 뒤 375°F에 25분 정도 더 굽는다.
3  예쁜 접시에 상추나 파슬리로 장식하고 다 구운 연어게살요리를 담
아낸다.

## 영양상식

▶▶ 이 요리는 비타민 A가 풍부하며 해산물로는 드물게 비타민D가 들
어있고, 단백질, 지방질, 비타민B1, B2, 나이아신이 균형있게 들어
있는 스태미너식이다.

## 6-7 Servings

## Ingredients

| | |
|---|---|
| 1½ lb. | salmon fillet, skin removed |
| 1 tbsp. | cooking oil |
| ¼ tsp. | salt |
| ¼ tsp. | black pepper |
| 3 tbsp. | mayonnaise |
| ½ lb. | imitation crab sticks (Osaki brand), shredded |
| 3 tbsp. | masago roe (orange color), lettuce leaves, parsley, |

for garnish

## Preparation & Presentation

Preheat oven to 375°F degrees. Line bottom of a shallow
baking dish with foil brushed with cooking oil and place salmon
fillet skinned side down. Bake uncovered 10 minutes. Season
salmon with salt and pepper and spread on mayonnaise.
Carefully spread shredded crab over fillet and sprinkle masago
roe on top. Bake another 25 minutes. Serve on a bed of lettuce
and garnish with parsley.

## Note

▶▶ If less sodium is preferred, omit salt. For a spicier dish,
serve a mixture of hot Korean chili paste, vinegar, and sugar
with this dish.

*Baked Salmon with Crab Meat*

# 생굴과 주꾸미 무침 Oyster and Baby Octopus Salad

## 준비할 재료 🌱

생굴(냉동된 것) 16온즈(454g)　　소금마늘가루 1큰술
후춧가루 1작은술　　　　　　　주꾸미(냉동된 것) 12온즈(341g)
무(중간크기) ½개(채 썰어 2컵)　　고춧가루 ¼컵

## 양념 재료

소금마늘가루 1작은술　　　　　후춧가루 1작은술
볶음통깨(흰색, 검은색) ½컵　　　고춧가루 ¼컵

## 이렇게 만드세요

1　냉동 생굴을 녹힌 뒤에 아주 찬 물에 깨끗이 씻는다. 구멍 뚫린 국수채반에 담고 흐르는 물에 잘 휘저으면서 굴에서 깨끗한 물이 빠질 때까지 씻은 뒤에 물기를 탁탁 털어 채반에 그대로 놓고 굴 위에 소금마늘가루 1큰술과 후춧가루 1작은술을 뿌려놓는다.

2　냉동 주꾸미도 녹힌 뒤 흐르는 물에 깨끗이 씻어 가위로 잘게(다리 하나 하나씩 자름) 잘라놓는다. 냄비에 물을 1½컵 정도 넣고 팔팔 끓으면 씻어 잘라놓은 주꾸미를 살짝 데친 뒤 다시 아주 찬물에 씻고 뒤 탁탁 털어 물기를 빼놓는다.

3　무채는 2컵 정도 준비하는데 중간무 ½개를 채 썰면 2컵 정도 된다. 무채에 고춧가루 ¼컵을 넣고 조물조물 고춧가루물을 들인 뒤에 준비한 생굴과 준비한 주꾸미, 그리고 양념재료들(소금마늘가루 1작은술, 볶음통깨 ½컵, 후추 1작은술, 고춧가루 ¼컵)을 넣고 골고루 굴냄새가 풍길 때까지 주꾸미와 굴과 무가 잘 어울리도록 무쳐낸다.

★ 냉장고에 보관하면서 4일 내지 5일 정도 밑반찬으로 일품이며 가을철에는 굴이 아주 좋다. 주꾸미의 씹히는 맛은 아주 구수하고 시원하다. 소금과 볶음깨, 후추, 고춧가루 양념만으로 굴의 싱그러운 맛을 내야 된다.

## 영양상식

▶▶ 생굴 – 바다에서 나는 우유라 일컬음. 비타민 A, B1, B2, B12, 철분, 미네랄, 요오드, 인, 칼슘 등이 많은 산성 식품(콜레스테롤을 감소, 빈혈치료에 좋음)

## Ingredients

| | |
|---|---|
| 16 oz. | frozen oysters (in package), thawed, well rinsed |
| 1 tbsp. | garlic salt |
| 1 tsp. | black pepper |
| 12 oz. | frozen baby octopus, thawed, well rinsed |
| ¼ cup | hot Korean chili powder** |
| ½ | medium Korean radish**, peeled, cut in strips (about 2 cups) |

## Seasonings

| | |
|---|---|
| 1 tsp. | garlic salt |
| 1 tsp. | black pepper |
| ½ cup | toasted black and white sesame seeds |
| ¼ cup | hot Korean chili powder** |

## Preparation & Presentation

Gently combine the oysters with garlic salt and 1 tsp. black pepper. Trim tips off octopus. Blanch octopus in boiling water, rinse in cold water and pat dry. Mix seasonings.

Sprinkle chili powder over radishes and combine until radishes are tinted red. Add oysters and octopus. Toss with seasonings and refrigerate. Serve as a zesty side dish.

### Note

▶▶ This dish keeps 4-5 days in the refrigerator and can be enjoyed when oysters are in season.

** Available in Korean specialty groceries.

# 새우 깐풍 Spicy Shrimp

## 준비할 재료 [6~7인분]

| | |
|---|---|
| 칵테일용 중간 큰새우 1파운드(16온즈) | 생강(납작 썰어) 15피스 |
| 녹말가루 ½컵 | 튀김가루 1컵 |
| 식용유 3컵 | 물 2컵 |

## 소스 재료

| | |
|---|---|
| Hot Chili Oil ½큰술 | 곱게 다진 마늘 1큰술 |
| Sweet Sour Sauce ⅓컵 | 물엿 1큰술 |
| 흰설탕 2큰술 | 참기름 2큰술 |
| 정종 1작은술 | 고춧가루 ½큰술 |
| 포도주 1큰술 | 바닷소금 ¼작은술 |
| 후추 ½작은술 | 육수 ¼컵 |
| 생강물 ½컵 | 녹말물 2큰술 |

## 이렇게 만드세요

1  꼬리 붙은 중간 이상 크기의 칵테일새우 1파운드를 준비해서 찬물
   에 헹구어 물기를 뺀 뒤 녹말가루 ½컵에 묻혀둔다.(냉장고에 넣어
   두면 튀겨놓았을 때 더욱 아삭아삭하다)
2  생강은 납작 썰어 15쪽에 물 2컵을 붓고 끓이는데 생강이 완전히 익고
   생강물이 ½컵으로 줄어들면 생강은 버리고 생강물 ½컵만 준비한다.
3  튀김가루 1컵에 물 1컵을 붓고 잘 저은 후에 "1"의 녹말가루 묻혀
   둔 새우를 튀김옷에 적셔 170℉의 끓는 기름(식용유 3컵)에 아삭
   아삭하게 튀겨낸다.
4  오목한 냄비에 소스재료를 모두 넣고 센불에 끓인다. 팔팔 끓여서
   걸쭉해지면 불을 끈다.
5  넓고 오목한 후라이팬에 "4"의 소스를 넣고 다시 끓이는데 이때,
   튀겨놓은 새우를 넣고 새우에 소스가 골고루 묻히도록 살살 버무리
   다가 완전히 소스가 새우에 묻혀지면 불을 끄고 접시에 담아낸다.

★  소스가 너무 많으면 아삭아삭한 맛이 사라지므로 소스를 조금 남겼
   다가 모자라는 듯할 때 좀 더 첨가한다.

## 영양상식

▶▶ 새우-단백질, 칼슘, 각종 비타민이 풍부하게 들어 있는 강장, 강정
   식품이며 성인병에 효과가 있다. 냉증, 저혈압, 피로해지는
   사람, 체력이 약한 사람, 식욕부진, 정력감퇴에 효과적이다.

## 6-7 Servings

### Ingredients

| | |
|---|---|
| 1 lb. | medium shrimp, shelled, veins removed |
| ½ cup | cornstarch |
| 15 slices | ginger |
| 2 cups | water |
| 1 cup | tempura flour mix |
| 1 cup | water |
| 3 cups | cooking oil |

### Sauce

| | |
|---|---|
| ½ tbsp. | hot chili oil* |
| ⅓ cup | sweet and sour sauce (LaChoy brand) |
| 1 tbsp. | finely minced garlic |
| 1 tbsp. | corn syrup |
| 2 tbsp. | sugar |
| 2 tbsp. | sesame oil |
| 1 tsp. | rice wine or sake |
| ½ tbsp. | Korean hot chili powder** |
| 1 tbsp. | red wine |
| ¼ tsp. | sea salt |
| ½ tsp. | black pepper |
| ¼ cup | meat stock |
| ½ cup | ginger water |
| 2 tbsp. | cornstarch water |

### Preparation & Presentation

Coat shrimp with cornstarch and chill in refrigerator.
Boil ginger with 2 cups water until reduced to half. Reserve this
ginger water for use in the sauce.
Mix flour with 1 cup water to make a batter. Heat cooking oil
170℉. Dip chilled shrimp in batter and fry until crispy.
Mix sauce ingredients in a skillet and cook until boiling and
thickened. Fold in fried shrimp until just coated in sauce.

### Note

▶▶ Too much sauce will make fried shrimp soggy.

 *  Available in Asian groceries.
**  Available in Korean specialty groceries.

# 즉석 꽃게 무침 Instant Blue Crab Salad

### 준비할 재료 [4-5인분]

| | |
|---|---|
| 꽃게 11온즈(300g) | 레몬 ¼쪽 |
| 무채 ½컵(중간무¼개) | 양파 ½개 |
| 파 1대 | 풋고추 1개 |
| 잘게 썬 미나리 ⅓컵 | 배 채 ½컵(배½개) |
| 볶음깨(흰색, 검은색) 1큰술 | 잣 1큰술 |
| 물 1½컵 | 식초 1큰술 |

### 양념 재료

| | |
|---|---|
| 고추장 1큰술 | 참기름 1½큰술 |
| 진간장 1큰술 | 정종 1큰술 |
| 물엿 1큰술 | 고춧가루 1큰술 |
| 곱게 간 마늘 1큰술 | 곱게 간 생강 ½큰술 |
| 맵지않은 고춧가루 ½큰술 | 후추 ¼ 작은술 |

### 이렇게 만드세요

1 꽃게 몸통을 4등분하여 게의 잔발가락은 가위로 잘라내고 집게발가락의 껍질이 매우 단단하므로 게집게로 꽉 찝어준다. 그리고 깨끗이 씻은 뒤 레몬 ¼쪽으로 게 위에 뿌려준다.

2 물 1½컵에 식초 1큰술을 같이 혼합하여 팔팔 끓인 뒤 꽃게를 국수채반에 담고 끓인 식초물을 붓는다. 채반 밑으로 뜨거운 물이 다 빠지고 난 다음 물기를 탁탁 털어 완전히 물기를 뺀다.

3 무와 양파, 배, 풋고추를 채 썰어 두는데 풋고추는 씨를 털어 채를 썬다. 미나리는 잘게 썰어 ⅓컵 준비한다.

4 양념을 모두 혼합하여 오목한 냄비에 담고 팔팔 끓인 뒤 볶음깨와 잣을 넣고 불을 끈다.

5 양념이 완전히 식은 뒤에 깨끗이 장만된 꽃게를 넣고 "3"의 야채 중에 배채를 제외한 모든 야채를 넣고 골고루 무친 뒤에 접시에 담는데 이 때 배채를 곁곁이 뿌린다. 즉석에서 먹을 수 있어 편리하며 빨리 먹는게 좋다.

★ 게 종류에 따라 껍질이 아주 연한 것이 있고 딱딱한 것이 있다. 즉석 게무침은 껍질이 연할수록 편리하며 냉동된 게도 훌륭하다. 종류에 따라 손질을 깨끗이 해둔 게를 구입하면 더욱 편리하다.

#### 영양상식

▶▶ 게는 필수아미노산이 풍부하며 지방함량이 적어 맛이 담백하고 소화도 잘된다. 타우린이 풍부하여 고혈압, 심장병, 간장병 등 각종 성인병에 효과가 있으며, 강한 산성식품이므로 채소와 같이 먹는 것이 좋다.

### 4-5 Servings

#### Ingredients

| | |
|---|---|
| ¾ lb. | baby blue crabs** (see Note), shells 2-3 inches wide, fresh or frozen and thawed |
| ¼ | lemon |
| ½ cup | water |
| 1 tbsp. | white vinegar |

#### Dressing

| | |
|---|---|
| 1 tbsp. | hot Korean chili paste** |
| 1 tbsp. | dark soy sauce |
| 1 tbsp. | corn syrup |
| 1 tbsp. | rice wine or sake |
| 1½ tbsp. | sesame oil |
| 1 tbsp. | hot Korean chili powder** |
| 1 tbsp. | finely minced garlic |
| ½ tbsp. | finely minced ginger |
| ½ tbsp. | Korean paprika powder** |
| ¼ tsp. | black pepper |
| | |
| ½ cup | shredded Korean radish**, cut in strips |
| ½ | medium onion, sliced |
| 1 | spring onion, cut in strips |
| 1 | hot green chili, seeds removed, cut in strips |
| ⅓ cup | Chinese celery, chopped |
| ½ | Asian pear, peeled, cored and cut in thin strips |
| 1 tbsp. | toasted black and white sesame seeds |
| 1 tbsp. | pine nuts |

#### Preparation & Presentation

Cut each crab in quarters, crushing the big claws slightly, and trim the two end joints off each leg, if not already done. Squeeze lemon juice over the crabs and place in a colander. Put water and vinegar in a pot, bring to a full, roiling boil and pour over the crabs. Allow the water to drain completely and crabs to cool.

Mix dressing ingredients in a pot, heat until just boiling, remove from heat and let cool.

In a large bowl, gently toss radishes, onions, spring onions, green chilies, celery and crabs with dressing. Before serving, top with pears and sprinkle with sesame seeds and pine nuts.

#### Note

▶▶ Fresh soft-shelled crabs would substitute nicely for blue crabs in this recipe.

** Available in Korean specialty groceries.

Instant
Blue Crab Salad

# 매화꽃 김밥 Sushi with Cherry Blossom Pattern

## 준비할 재료 [1인분]

김 3장
채 썬 빨간 생강 1큰술
오이막대기 2개
식염(이쑤시개에 묻힘)
식초 ½작은술

밥 2½주걱
물에 불린 목이버섯 1장
양념스시용 우엉 1개
설탕 1작은술
소금 1/8작은술

## 밥 짓기

쌀 3컵 + 물 3½컵 (소모시간 35-40분)

## 이렇게 만드세요

1 넓고 판판한 그릇에 밥 2½주걱을 담고 설탕 1작은술, 식초 ½작은술, 소금 1/8작은술을 넣고 골고루 비벼놓는다.
2 비빈 밥의 ½주걱을 별도의 그릇에 담고 분홍식염을 이쑤시개에 묻힌 뒤 분홍색이 날때까지 밥을 비빈다.
3 오이는 껍질채로 세로 4인치, 넓이 0.3인치 2개를 준비한다.
4 스시용 우엉은 4인치 길이로 잘라놓는다.
5 빨간 생강채는 물기를 꼭 짜고 1큰술을 준비한다.
6 판판한 도마 위에 김발을 펴놓는다.
7 김 한 장을 반으로 잘라놓고 또 반 장 중에서 ½을 잘라버린 다음 나머지 반 장 위에 자른 김을 겹쳐놓는다.
8 매화꽃 모양을 만들기 위해 세로 3½인치, 가로 2인치로 작은 김 5장을 잘라놓고 그 위에 "2"의 분홍색으로 물들인 밥을 각각 펴넣어 돌돌만다. 다시 세로 5인치, 가로4인치 크기의 김을 준비한 뒤 "4"의 우엉을 심으로 하여 5개의 분홍색 작은 김말이를 넣고 돌돌 말아놓는다.
9 "6"의 김발 위에 "7"을 놓고 흰밥을 아주 얇게 쫙 편다. 2½인치 정도 김이 보이도록 남기고 밥을 판판하게 쫙 편 뒤에 중간에 밥으로 세 군데의 담을 세운다.
10 김 한 장을 반으로(세로 4½인치, 가로 3½인치) 자른 뒤 "9"의 담 쌓아 놓은 곳을 김으로 덮고 막는다.
11 "5"의 채 썬 빨간 생강을 막아 놓은 곳의 움푹 들어가는 곳에 꼭꼭 채운다. 그 위에 오이 막대기를 올려 생강채가 보이지 않도록 한다.
12 매화꽃을 만들어 놓은 김말이 "8"을 담 쌓은 곳의 맨 앞에 놓는다. 반대쪽 끝에 물에 불린 목이버섯을 놓고 밥으로 위를 다시 다 덮은 다음 당기는 느낌으로 돌돌 만다. 김말이와 같이 꼭꼭 눌러 가면서 동그랗게 밥이 풀어지지 않게 꼭 싼다.
13 조심스럽게 잘 드는 칼로 한 번에 싹 썬다. 5피스 정도로 활짝 핀 매화꽃과 두 개의 봉우리와 나무줄기가 나오면 성공이다.

## 1 Serving

### Ingredients

| | |
|---|---|
| 1 tsp. | sugar |
| ½ tsp. | vinegar |
| dash | salt |
| ¾ cup | cooked rice, hot |
| | red food coloring, as needed |
| 3 sheets | untoasted seaweed (nori) |
| 1 tbsp. | pickled red ginger strips*, patted dry |
| 3 | woodear mushrooms*, softened in warm water |
| ½ | seedless cucumber, 4½ inches long |
| 1 | whole burdock root** for sushi, 4½ inches long, ¼ inch in diameter |

### Preparation & Presentation

Combine sugar, vinegar and salt, mix with hot rice to make sushi rice and allow to cool. Take 2 rounded tbsp. rice and, using a toothpick, mix in a little food coloring to tint rice pink.

Cut nori to get 1 piece 8 x 4½ inches, 1 piece 4½ x 6 inches, 1 piece 5 x 4 inches, 5 pieces 4½ x 2 inches and 1 piece 4½ x 3½ inches.

On each 3½ x 2 inch piece of nori, put a rounded tsp. pink rice in center, then roll into little sushi about ⅜ inches in diameter. Surround burdock root with these 5 sushi and wrap in the 5 x 4 inch piece of nori (this will be the cherry blossom in the sushi) and set aside.

On a bamboo mat, place the 8 x 4½ inch nori and spread rice in ⅛ inch thick layer leaving ½ inch bare on each end. Use 3 tbsp. rice to form 3 ridges (each ¾ inch wide with ½ inch peak) in the middle, across width, of nori. Take the 4½ x 3½ inch piece of nori and lay it across the ridges, gently shaping it up and down the valleys. In both valleys, stack the ginger strips parallel to one another. Peel 2 very thin green strips, ½ inch wide each, off outside length of cucumber and lay on top of ginger to cover it completely in each valley. To the left of the ridges, lay the cherry blossom roll. To the right of the ridges, place the flat mushroom strips. Carefully cover the mushrooms with rice and cover the cucumber strips in the valleys with remaining rice.

Use the bamboo mat to help lift the ends of the bottom nori over the rice, overlapping them to form a roll, and gently round the roll with the mat. Use a sharp, wet knife to cut the roll in 5 pieces and reveal the pink cherry blossom, two buds and a branch in each slice. Enjoy a work of art in each bite!

# 튤립꽃 김밥 Sushi with Tulip Pattern

## 준비할 재료 [1인분] 🌱

| | |
|---|---|
| 김 1장 | 밥 1½주걱 |
| 오이(막대잎) 2개 | 채 썬 빨간 생강(pickled ginger) 1작은술 |
| 채 썬 목이버섯 ½작은술 | 설탕 1작은술 |
| 식초 ¼작은술 | 소금 1/8작은술 |

## 밥 짓기

쌀 2컵 + 물 2½컵 (소모시간 35~40분)

## 이렇게 만드세요

1 밥 1½주걱에 설탕 1작은술, 식초 ¼작은술, 소금 1/8작은술을 넣고 골고루 비벼 놓는다.

2 판판한 도마 위에 김말이를 놓고 김 한 장을 반으로 잘라(세로 4½인치, 가로 3½인치) 김말이 위에 올린다. "1"의 밥을 얇게 짝 펴는데 양쪽 김 끝에는 밥을 놓지말고 밥을 중간보다 더 펴놓은 뒤 맨 중앙에 밥 위에 밥으로 두 개의 담을 쌓는다.

3 남은 반 장의 김은 "2"의 담 쌓아둔 밥을 밥이 보이지않게 덮는다. 그 속에 생강채를 꼭꼭 눌러 넣고 그 위에 채 썬 목이버섯으로 생강채가 보이지 않도록 덮는다.

4 오이막대잎 2개(세로 4인치, 가로 0.8인치)를 담 쌓은 김의 양쪽 두 군데에 세운다.

5 벌어지지 않게 꼭꼭 오므리면서 김발과 같이 돌돌 만다. 풀어지지 않게 돌돌 말아 완성한 뒤 잘드는 칼로 모양이 흐트러지지 않게 자른다. 튤립꽃이 오이 잎사귀에 싸여있는 듯해야 성공한 작품이다.

## 1 Serving

## Ingredients

| | |
|---|---|
| 1 tsp. | sugar |
| ¼ tsp. | vinegar |
| pinch | salt |
| ¾ cup | cooked rice, still hot |
| 1 sheet | seaweed (nori), cut in half, each 4½ x 8 inches |
| 1-2 tsp. | pickled red ginger strips**, patted dry, as needed |
| ½ tsp. | woodear mushroom** strips, softened in water before cutting, more as needed |
| ½ | seedless cucumber, 4½ inches long |

## Preparation & Presentation

Combine sugar, vinegar and salt, mix with hot rice to make sushi rice and allow to cool. On a flat, bamboo sushi mat, place a piece of nori, spread ¼ cup of rice in a ⅛ inch thick layer leaving ½ inch uncovered on each end. Reserve 2 tbsp. rice and mound remaining rice (almost ½ cup) in 2 ridges (each 1 inch wide and 1½ inches tall) across the width of the nori. Cut a 4½ x 3½ inch piece from remaining nori piece and lay over the ridges, gently shaping it up and down the valley in an "M" shape.

In the valley, stack ginger strips parallel to one another. Lay mushroom strips on top of ginger.

Place remaining 2 tbsp. of rice on top of mushrooms and mold by hand into a single higher ridge.

Peel 1½ inch wide green strips off outside length of cucumber. Lay cucumber strips against the sides of the ridge so they run parallel to the ginger strips.

Using the bamboo mat, carefully lift the (uncovered) ends of the bottom nori sheet over the ridge, overlapping them to form a roll. Gently round the roll with the bamboo mat. Use a sharp, wet knife to cut in 7-8 pieces and reveal the tulip in each slice.

** Available in Asian groceries.

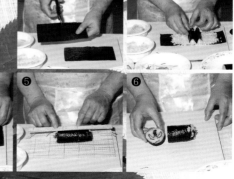

# 작은 감자와
# 통북어 조림 Braised Pollack

## 준비할 재료 [6인분] 🌱

베이비 작은 감자 20개  통북어 3마리(21토막, 4온즈)
매운 풋고추 15개  양파 ½개
물 13컵

## 양념재료

진간장 ⅓컵  물엿 ⅓컵
흑설탕 ⅓컵  고추장 2큰술
참기름 ⅓컵  포도주 2큰술
곱게 간 마늘 2큰술

## 이렇게 만드세요

1 작은 감자는 깨끗이 씻어 물 6컵을 붓고 삶는다. 젓가락으로 찔러
서 쏙 들어가면 삶은 물은 버리고 감자만 담아놓는다.
2 통북어는 머리를 떼고 물 7컵에 불려서 껍질이 있으면 벗기고 한
마리당 6~7토막으로 자른 뒤에 불린 물을 붓고 삶아놓는다. 북어
삶은 물은 1½컵만 남기고 나머지는 버린다.
3 북어 삶은 물 1½컵에 양념재료들을 분량대로 모두 넣고 소스를
끓인다.
4 끓고 있는 소스에 삶아놓은 감자와 북어를 넣고 살살 양념이 배이
게 골고루 끼얹고 풋고추 15개와 양파 ½개를 반으로 잘라 넣는다.
국물이 적당히 졸여지면 불을 끄고 국물이 약간 자작할 때 소스와
같이 오목한 그릇에 담아낸다.

## 6 Servings
### Ingredients

| 3 | dried pollack**, 4 oz. each |
| 7 cups | water |
| 1½ cups | pollack stock |

### Seasoning

| ⅓ cup | dark soy sauce |
| ⅓ cup | corn syrup |
| ⅓ cup | brown sugar |
| ⅓ cup | sesame oil |
| 2 tbsp. | hot Korean chili paste** |
| 2 tbsp. | finely minced garlic |
| 2 tbsp. | rice wine |
| 20 | small new potatoes, cooked |
| ½ | medium onion, cut in bite sizes |
| 15 | hot green chilies, seeds removed, halved |

### Preparation & Presentation

Soak dried pollack in 7 cups water 20-30 minutes until just softened
enough to handle. Remove fish, skin them, return to the same water
and cook until very soft but not crumbling. Reserve 1½ cups of the
water as stock and discard the rest. Cut each fish in 6-7 pieces.
Bring reserved stock to a boil and add seasoning ingredients,
potatoes and pollack and cook 5-6 minutes or until seasoning is well
absorbed. Add onion and chilies and cook until almost no liquid
remains. Serve as a side dish.

** Available in Korean specialty groceries.

# 해삼, 호박, 천사채 무침
## Sea Cucumber with Seaweed Noodles

### 준비할 재료 [8-10인분]

삶은 해삼 1파운드(454g)
참기름 2큰술
맛소금 ½작은술
소금 ½작은술

호박 1파운드(16온즈)
볶음깨 1큰술
천사채 100g(4온즈)

### 이렇게 만드세요

1 삶아 불린 해삼을 구입하여 깨끗이 씻어 끓는 물에 한번 더 삶아 찬물에 씻어 물기를 뺀 뒤 납작하게 썰어 오목한 후라이팬에 참기름 1큰술을 두른 뒤 볶아 놓는다.

2 호박은 납작하게 반달형으로 썰고 끓는 물에 소금 ½작은술을 넣어 살짝 삶은 뒤 찬물에 씻어 물기를 빼 놓는다.

3 천사채는 가위로 덤썩덤썩 잘라 찬물에 씻은 뒤 물기를 뺀다.

4 "2"의 호박과 "3"의 천사채를 같이 넣고 참기름 1큰술, 볶음깨 1큰술, 맛소금 ½작은술을 넣어 골고루 무쳐둔다.

5 접시에 "4"의 천사채와 호박 무친 것, "1"의 해삼 볶음을 한켜씩 번갈아 쫙 펴올린다. 몇 번 반복하여 켜켜로 올린 뒤 그대로 상에 낸다.

### 영양상식

▶▶ 해삼 – 바다의 인삼이라 부른다. 단백질, 철분, 칼슘이 풍부해 입맛을 돋우고 신지대사를 활발하게 하는 스태미너식으로 인기가 있다. 칼로리가 적어 비만인 사람에게 적합한 식품이다.

### 8-10 Servings

### Ingredients

| | |
|---|---|
| 1 lb. | sea cucumber*, cooked |
| 1 tbsp. | sesame oil |
| ¼ tsp. | salt |
| 1 lb. | zucchini, halved lengthwise, sliced in half moons |
| 1 tbsp. | sesame oil |
| ¼ lb. | seaweed noodles** (chon-sah-chae), rinsed, cut in 2-3 inch lengths |
| 1 tbsp. | toasted sesame seeds |
| ½ tsp. | Korean seasoned salt** (maht-so-gum) |

### Preparation & Presentation

Blanch the sea cucumber, rinse in cold water and pat dry. Heat 1 tbsp. sesame oil in a skillet and stir fry the cucumber.

In a pot of boiling water, add salt, blanch the zucchini, rinse in cold water and gently squeeze out excess liquid.

Heat 1 tbsp. sesame oil in a skillet and stir fry zucchini and seaweed noodles. Add toasted sesame seeds and seasoned salt and briefly toss. Alternate the zucchini and noodles with the cucumbers on a platter and serve.

* Available in Asian groceries.

** Available in Korean specialty groceries.

# 알 돌솥 비빔밥 Stone Pot Rice with Vegetables

## 준비할 재료 [4인분] 🌱

연어알(Caviar) 4큰술
검은 Tobikko 4큰술
오렌지마사꼬알 4큰술
곱게 다진 잔새우 4큰술
무순 1팩
레몬즙 1큰술
밥 4공기

날치알 4큰술
와사비 Tobikko 4큰술
구워 부순 김 4큰술
피클오이 1개(채썰어 1컵)
참기름 4큰술
잣 2큰술

## 초고추장 재료

고추장 1½큰술
정종 ½큰술
곱게 간 양파 1큰술
곱게 간 사과 1큰술

식초 1큰술
볶음깨 1큰술
곱게 간 무 1큰술
설탕 1큰술

## 와사비겨자간장 재료

간장 3큰술
식초 1작은술
무즙 1큰술

와사비 1작은술
정종 1작은술
사과즙 1큰술

## 이렇게 만드세요

1 밥은 고슬고슬하게 지어 돌솥에 담고 참기름 1큰술 넣은 뒤 비벼 불위에 올려놓고 뜨겁게 달군다.(밥이 눌지 않아야 된다)

2 연어알과 날치알에 레몬즙 1큰술을 뿌려준다.

3 마사꼬알, 검은 Tobikko알, 와사비Tobikko알은 냉장고에서 꺼내어 분량대로 준비하고 잔새우도 곱게 다져 준비한다.

4 무순은 끝부분을 다듬어 두고 구운 김도 부수어 놓는다. 오이채도 준비하여 돌솥에 따뜻하게 된 밥 위에 먼저 뿌리고 연어알, 날치알, 마사꼬알, Tobikko를 색색으로 올린 다음 맨 중앙에 다진 새우와 무순을 예쁘게 놓고 부순 김과 잣을 뿌린 뒤 상에 낸다.

★ 준비된 알 돌솥비빔밥에 식성에 맞게 '초고추장'을 넣어 비벼도 좋고 '와사비겨자장'에 비벼도 훌륭하다.

★ 노란색, 주황색, 검은색, 분홍색(새우), 와사비 Tobikko(파란색)의 생선알을 밥위에 올리고 파란 무순을 곁들이면 아주 예쁘고 화려하며 입속에서 톡톡 터지는 알의 맛이 일품이다.

Stone Pot Rice
with Vegetables

## 4 Servings

### Ingredients

| | |
|---|---|
| 2 tbsp. | lemon juice |
| 4 tbsp. | salmon roe* |
| 4 tbsp. | red tobiko roe* |
| 4 cups | cooked rice |
| 4 tbsp. | sesame oil, mixed use |
| 4 tbsp. | salad shrimp, cooked |
| 4 tbsp. | black tobiko roe* |
| 4 tbsp. | wasabi flavored tobiko roe* |
| 4 tbsp. | masago roe* |
| 1 cup | pickling cucumbers, sliced |
| 1 | container radish shoots |
| 2 tbsp. | pine nuts |
| 4 tbsp. | toasted seaweed (nori), crumbled |

### Hot Korean Chili Paste Sauce

| | |
|---|---|
| 1½ tbsp. | hot Korean chili paste** |
| 1 tbsp. | vinegar |
| ½ tbsp. | rice wine or sake |
| 1 tbsp. | toasted sesame seeds |
| 1 tbsp. | grated onion |
| 1 tbsp. | grated radish |
| 1 tbsp. | grated apple |
| 1 tbsp. | sugar |

### Hot Mustard Sauce

| | |
|---|---|
| 3 tbsp. | soy sauce |
| 1 tsp. | prepared wasabi |
| 1 tsp. | soy sauce |
| 1 tsp. | rice wine or sake |
| 1 tbsp. | radish juice |
| 1 tbsp. | apple juice |

### Preparation & Presentation

Sprinkle lemon juice over the salmon roe and tobiko roes. In each individual stone pot, mix 1 cup rice with 1 tbsp. sesame oil. Arrange ¼ of the cucumber over rice, then place ¼ of the shrimp in the middle and ¼ of each of the 5 roes colorfully around the perimeter of each pot. Garnish with pine nuts, crumbled seaweed and leaves of radish shoots.
Mix ingredients of each sauce and place in separate serving bowls (can be done ahead). At the table, choose and gently stir in some sauce to taste and enjoy this special dish.

### Note

▶▶ The colors of the various roes are very appetizing and crunching some roe in each bite is fun.

* Available in Asian groceries.

** Available in Korean specialty grocery.

# 대구 지리
## Cod Soup

### 준비할 재료 [3-4인분]

대구 1½파운드(680g)
곤약(납작 썰어) 1컵(7온즈, 200g)
쑥갓 3뿌리
두부 ½모
새송이버섯 6개
파 3대
후추 1작은술
무즙 2큰술

불린 당면 1½컵
배춧잎 3장
미나리 썰어 1컵
생표고버섯 3장
팽이버섯 1팩
바닷소금 ½큰술
정종 2큰술
송송 썬 실파 3큰술

### 다시마 가다랭이포 국물내기

다시마(사방크기 5인치) 2장
가다랭이포 1컵
무 2토막(중간무 ½개)

육수 2컵
물 12컵

### 만나쯔유 소스

간장 ½컵
맛술 ½컵
가다랭이포 ½컵

설탕 2큰술
물 ½컵

### 만나폰즈 소스

만나쯔유 소스 1컵
다시마 가다랭이국물 3큰술

사과즙 3큰술
레몬즙 1큰술

### 이렇게 만드세요

1 토막낸 대구는 소금 ½작은술을 살짝 뿌려 1시간 정도 있다가 깨끗이 물기를 닦아놓는다.
2 당면은 삶아놓고 곤약은 납작하게 썰어 준비한다. 배춧잎은 세로로 썰어놓고 미나리는 5cm정도로 썰어놓는다. 두부는 큼직하게 썰고 생표고버섯은 ＋자로 모양을 낸다. 새송이버섯은 납작하게 썰고 팽이버섯은 밑둥을 잘라내서 준비하고 파는 큼직큼직하게 썰어 준비한다.
3 다시마 가다랭이포 국물내기는 물 12컵, 육수 2컵, 무 2토막, 다시마 2장을 함께 넣고 끓인 뒤에 불을 끄면서 가다랭이포를 넣고 5분정도 기다렸다가 고운 채에 받쳐 맑은 다시마국물을 만들어 놓고 다시마는 채 썬다. 무는 버려도 되고 납작하게 썰어 국물에 넣어도 된다.

4 다시국물에 불을 켜고 국물이 끓을 때 곤약, 배추, 송이버섯, 표고버섯, 다시마 채 썬 것을 먼저 넣고 끓이다가 "1"의 대구토막을 넣고 두부와 파를 넣고 한소끔 끓인다. 불을 끄기 전 소금, 후추, 정종을 넣고 마지막에 불린 당면, 미나리, 쑥갓을 넣어 완성한다. 국대접에 먹음직스럽게 담고 만나폰즈 소스와 무즙, 송송 썬 실파를 곁들여낸다.

★ 가다랭이포는 일식요리에 자주 들어가는 재료로 요리에 감칠맛을 준다.
★ 대구살을 탄력있게 쫀득쫀득하게 요리하려면 미리 소금에 재워둔다.
★ 국물이 끓을 때 대구를 넣어야 대구살이 흩어지지 않는다.

### 영양상식

▶▶ 대구는 깊은 바닷속에 사는 생선으로 보신용으로 먹는 귀한 생선이며, 참대구는 수분이 많고 부드러우며 담백한 맛이 난다. 대구탕은 산모의 젖을 잘 나게 하는 산후조리식품이며, 대구알젓과 간유는 비타민 A, D, 타우린이 풍부한 영양식이다.

Cod
Soup

## Muhn-nah-ponz Sauce

| | |
|---|---|
| 1 cup | Mahn-nah-zu-you Sauce (above) |
| 3 tbsp. | apple juice |
| 3 tbsp. | kelp soup base (above) |
| 1 tbsp. | lemon juice |
| | |
| 7 oz. | package yam jelly*, sliced |
| 3 | Napa cabbage leaves, torn in bite sizes |
| 6 | pine mushrooms (or oyster mushrooms), sliced |
| 8 oz. | straw mushrooms |
| 3 | shitake mushrooms, carve an "X" on top of each |
| ½ lb. | tofu, cut in bite sized cubes |
| 3 | spring onions, cut in 1½ inch lengths |
| ½ tbsp. | sea salt |
| 1 tsp. | pepper |
| 2 tbsp. | rice wine or sake |
| 1½ cups | transparent noodles*, softened in warm water |
| 1 cup | Chinese celery*, cut in 1½ inch lengths |
| ½ cup | edible chrysanthemum leaves* |
| 2 tbsp. | radish juice |
| 3 tbsp. | spring onion, thinly sliced for garnish |

## Preparation & Presentation

Sprinkle cod with salt and let stand 1 hour. Boil kelp soup base ingredients 5 minutes, strain and reserve kelp and radishes, which need to be cut and added to soup before serving.

Mix Mahn-nah-zu-you Sauce ingredients, boil, strain and set aside. Make Muhn-nah-ponz Sauce, pour in a small serving bowl and set aside.

Bring remaining kelp soup to a boil, add yam jelly, Napa cabbage, all variety of mushrooms and the reserved kelp slices. While boiling, add cod, tofu, spring onions, reserved radish slices and season with salt, pepper and wine. Continue to boil and add noodles, celery and chrysanthemum leaves and immediately turn off heat.

Serve in individual bowls and add Muhn-nah-ponz Sauce, radish juice and spring onion to taste.

### Note

▶▶ Sprinkling salt on cod makes the fish tighter and less apt to flake or break. Adding cod to boiling soup prevents breaking. Bonito is a Japanese soup base and adds extra flavor.

\* Available in Asian groceries.

\*\* Available in Korean specialty groceries.

## 3-4 Servings

### Ingredients

| | |
|---|---|
| 1½ lb. | frozen, bone-in cod or whole fresh cod* |
| ½ tsp. | salt |

### Kelp Soup Base

| | |
|---|---|
| 2 | kelp pieces, each 5 inches square |
| 2 cups | meat stock |
| 1 cup | bonito flakes* |
| 12 cups | water |
| ¼ | medium Korean radish**, halved |

### Mahn-nah-zu-you Sauce

| | |
|---|---|
| ½ cup | soy sauce |
| 2 tbsp. | sugar |
| ¼ cup | rice wine or sake |
| ½ cup | water |
| ½ cup | bonito flakes* |

# 모듬 해물 쌈된장  Seafood Wrap

## 준비할 재료 🌱

잔 새우  1 파운드
게맛살 0.25파운드
주꾸미 ½파운드
다진 파 2큰술
볶은 깨 2큰술

된장 1큰술
고추장 2큰술
설탕 2큰술
포도주 1작은술

## 이렇게 만드세요

1 해물들(잔 새우, 게맛살, 주꾸미)을 끓는 물에 데쳐낸 뒤 물기를 꼭 짜고 잘게 다진다.

2 잘게 다진 해물들을 다시 한 번 물기를 꼭 짠 후에 다진 파, 볶은 깨, 된장, 고추장, 설탕, 포도주를 분량대로 넣고 골고루 잘 섞은 뒤 쌈장으로 쓴다.

★ 쌈종류 : 각종 상추(보스톤 상추, 로메인 상추, 올가닉 보통상추), 깻잎, 찜통에 찐 양배추, 쑥갓, 다시마 등도 쌈으로 쓰면 좋다.

## 영양상식

▶▶ 해물 - 지방질, 당질이 적은 반면 단백질이 풍부하며 아미노산의 일종인 타우린이 풍부하게 들어있어 동맥경화를 비롯 각종 성인병에 효과가 있다.

## Ingredients

| 1 lb. | cooked salad shrimp, thawed if frozen |
| ¼ lb. | imitation crab sticks |
| ½ lb. | baby octopus* (available frozen) |

## Seasoned Paste

| 2 tbsp. | spring onion, finely chopped |
| 2 tbsp. | toasted sesame seeds |
| 1 tbsp. | Korean bean paste** |
| 2 tbsp. | Korean hot chili paste** |
| 2 tbsp. | sugar |
| 1 tsp. | Chinese cooking wine or sake* |

## Leaf Wraps

various lettuces (romaine, boston, green leaf)
perrila leaves* (kat-nip)
edible chrysanthemum leaves* (sue-kaht)
cabbage leaves, blanched
fresh kelp** (prepared per package instructions)

## Preparation and Presentation

Blanch shrimp in boiling water 5 seconds, dry on paper towels and chop.  Repeat with crab sticks.
Cook the octopus in boiling water 3 minutes, dry on paper towels, then chop.  Arrange the three seafood ingredients on a platter.
Mix seasoned paste ingredients together. Serve in a small side bowl.
To enjoy, choose a leaf or combination of leaf wraps, place a spoonful of the seafood mixture in the middle, top with seasoned paste to taste and fold into a bundle. Delicious!

* Available in Asian groceries.
** Available in Korean specialty grocery.

# 명태 알탕 Pollack Roe Casserole

Pollack Roe Casserole

## 준비할 재료 [2인분]

명태알 1봉지(12온즈, 340g)
콩나물 1/2컵(2온즈)
파 2뿌리
쑥갓 1줄기
can 베이비 조개(국물 포함) 1/3컵
중간 무 1/4쪽
물 2 1/2컵
양파 1/2쪽

## 양념 재료

고춧가루 1 1/2큰술
들깨가루 1큰술
후추 3/4작은술
고추장 1큰술
곱게 다진 마늘 2큰술
바닷소금 1/4작은술

## 이렇게 만드세요

1 냉동 명태알 1봉지는 소금물(소금 1/4작은술+물2컵)에 살살 씻어 토막내 잘라놓고 콩나물은 머리와 꼬리를 따고 다듬어 씻은 뒤 물기를 뺀다.
2 중간 무 1/4쪽과 양파 1/2쪽은 납작하게 썰어두고 파는 덤썩덤썩 썰어둔다.
3 오목한 냄비에 물 2 1/2컵을 담고 can 베이비 조개(국물 포함) 1/3컵을 넣는다. 소금을 제외한 모든 양념을 분량대로 넣는다. "2"의 야채를 모두 넣고 끓이다가 "1"의 냉동명태알을 넣고 끓인다. 한소큼 끓인 뒤에 소금으로 간을 맞춘다. 그 위에 고명으로 쑥갓 1줄기를 올린다.

### 영양상식

▶▶ 명태알 – 피로회복의 효과가 뛰어나고 뇌와 신경에 필요한 에너지를 공급하는 작용을 하며 소화를 돕고 성장을 촉진시키는 비타민 B1과 각종 성인병과 암을 예방하는데 효과적인 비타민 B2, 노화를 방지하는 비타민 E 등이 다량 함유되어 있다.

## 2 Servings

### Ingredients

| | |
|---|---|
| 12 oz. | frozen pollack roe, thawed** |
| 1/3 cup | canned baby clams with broth |
| 2 1/2 cups | water |

### Seasoning

| | |
|---|---|
| 1 1/2 tbsp. | hot Korean chili powder** |
| 1 tbsp. | hot Korean chili paste** |
| 1 tbsp. | perrila seed powder |
| 2 tbsp. | minced garlic |
| 3/4 tsp. | black pepper |
| 3/4 tsp. | sea salt |

| | |
|---|---|
| 1/4 | medium Korean radish**, sliced |
| 1/2 cup | soybean sprouts, top yellow parts and roots removed |
| 2 | spring onions, cut in 1-2 inch lengths |
| 1/2 | medium onion, sliced |
| 1 | whole edible chrysanthemum* (sue-kaht), for garnish |

### Preparation & Presentation

Rinse thawed roe in salted water, cut in 1 inch pieces and set aside. In a sauce pan, bring clams with broth and water to boil. Mix seasoning. To sauce pan, add radish, sprouts, spring onions, onion and seasoning. When boiling, add roe (season with salt, if needed). When boiling again, the dish is ready. Transfer to a warm casserole dish to serve and garnish with chrysanthemum across the top.

* Available in Asian groceries.
** Available in Korean specialty grocery.

# 달래 오징어, 도토리묵 무침
## Acorn Starch Gelatin with Ramps

### 준비할 재료 [3-4인분] 🌱

| | | |
|---|---|---|
| 달래 7온즈(200g) | 오징어 ½마리 | 도토리묵 ½모 |
| 씨 없는 오이 ½개 | 당근(채 썰어) ½컵 | 쑥갓 1온즈 |

### 양념 재료

| | | |
|---|---|---|
| 소금마늘가루 ¼작은술 | 간장 1큰술 | 고춧가루 1큰술 |
| 설탕 2작은술 | 식초 1작은술 | 깨소금 2큰술 |
| 참기름 3큰술 | | |

### 이렇게 만드세요

1  달래는 뿌리까지 깨끗이 씻어 밑둥을 칼등으로 두드려 으깬 다음 1인치 길이로 짧게 썰어놓는다. 오이와 당근은 깨끗이 씻어 채 썰어 놓고 도토리묵은 길쭉하면서도 약간 도톰하게 잘라놓는다. 쑥갓은 깨끗이 씻어 적당한 크기로 연한 잎쪽으로 잘라 놓는다.

2  오징어는 껍질을 벗기고 끓는 물에 살짝 데친 후에 1인치 길이로 썰어놓는다. 큰 접시에 달래와 오징어, 오이, 당근, 도토리묵, 쑥갓을 모두 넣어 너무 휘젓지 말고 살살 합친 뒤에 양념장을 골고루 넣고 무친다.

★ 피클오이를 쓸 때에는 2개 정도를 쓴다.
★ 당근채는 아주 가늘고 곱게 채 썬다.
★ 소금마늘가루 대신 맛소금을 써도 된다.

### 영양상식

▶▶ 달래 – 단백질, 지방, 칼슘이 풍부. 인, 철, 비타민A, B, C 등이 들어있으며 특히 비타민 C가 많은 것이 특징. 노화방지, 빈혈, 동맥경화를 예방한다.
    오이 – 90% 이상이 수분임. 칼륨, 비타민C, 무기질이 풍부하고 알칼리성 식품으로 향미가 좋다.
    도토리묵 – 장을 튼튼하게 하고 칼로리가 없어 다이어트식품으로 인기 있으며 도토리의 떫은 맛을 내는 타닌성분은 설사를 멎게 한다.

### 3-4 Servings
### Ingredients

| | |
|---|---|
| 7 oz. | ramps (dahl-lai*) |
| 8 oz. | acorn starch gelatin** (available readymade or in powder form to prepare) |
| ½ | whole squid, skinned and blanched |

### Dressing

| | |
|---|---|
| ¼ tsp. | garlic salt or Korean seasoned salt** |
| 1 tbsp. | soy sauce |
| 1 tsp. | vinegar |
| 3 tbsp. | sesame oil |
| 1 tbsp. | Korean hot chili powder** |
| 2 tsp. | sugar |
| 2 tbsp. | toasted sesame seeds |
| | |
| 1 | small carrot, peeled and cut in thin strips |
| ½ | seedless (English) cucumber, cut in thin strips |
| ½ cup | edible chrysanthemum leaves (sue-kaht**) |

### Preparation & Presentation

Thoroughly clean ramps, slightly crush the white sections with the side of a knife and cut in 1 inch lengths.
Cut gelatin in pieces, each ½ x ½ x 2 inches. Cut squid in 1 inch long pieces.
Mix dressing ingredients.
On a platter, artfully arrange ramps, squid, gelatin, carrots and cucumbers with the chrysanthemum leaves. At the table, gently toss these ingredients with the dressing and enjoy.

 * Available in Asian groceries.
** Available in Korean specialty grocery.

# 감자 어묵 볶음 Fish Cakes with Potatoes

## 준비할 재료 [3인분] 🌱

얇고 납작한 어묵 3장(채 썰어 1½컵)    감자(중간크기) 2개
피망 ½개                              양파 1개
다진 마늘 1작은술                      식용유 2큰술

## 양념 재료

설탕 1큰술                            소금 ¼작은술
참기름 2큰술                          볶은 깨 1큰술

## 이렇게 만드세요

1  납작한 어묵을 채 썰어 준비하고 감자(중간크기) 2개는 껍질을 벗기고 채 썰어 아주 찬 냉수에 담가놓고 빳빳해지면 건져서 물기를 뺀다.

2  피망(½개)도 채 썰고 양파(1개)도 채 썰어놓는다. 오목한 후라이팬에 식용유 1큰술을 넣고 다진 마늘을 먼저 넣고 볶아가면서 감자채를 넣는다. 그다음 어묵채를 넣고 다시 식용유 1큰술을 두른 다음 피망과 양파채를 넣고 볶는다.

3  감자가 다 익을때 까지 약한 불에 볶는다. 불을 끄고 재료들을 식힌 뒤 양념재료들(설탕, 소금, 참기름, 볶은 깨)을 분량대로 넣고 살살 무친뒤에 접시에 담아낸다.

★  어묵을 채 썰어 감자와 어울리면 부드럽고 고급스러운 반찬이 되고 먹다가 남았을 때는 더 잘게 다져 밥을 넣고 캐첩으로 양념하면 또 다른 훌륭한 맛을 낸다.

★  감자를 냉수에 담그는 이유는 녹말성분을 제거하기 위함이다. 감자를 썰어 바로 볶으면 감자에 포함된 녹말성분 때문에 미끌거리고 볶을 때 후라이팬에 달라 붙으므로 찬물에 넣어 맑은 물이 될 때까지 헹구면 녹말성분이 빠져나가 훨씬 쉽게 감자볶음을 만들 수 있다.

### 영양상식

▶  감자 – 녹말이 주성분인 알카리성 식품으로 비타민C와 칼륨이 풍부하게 들어있다.

   어묵 – 여러 가지 생선살을 섞어 반죽된 것으로 다이어트 식품이다.

## 3 Servings
## Ingredients

| | |
|---|---|
| 2 | medium potatoes |
| 2 tbsp. | cooking oil |
| 1 tsp. | minced garlic |
| 1½ cup | fish cake* (uh-mok), cut in thin strips |
| ½ | green bell pepper, cut in strips |
| 1 | medium onion, sliced |

## Seasoning Mixture

| | |
|---|---|
| 1 tbsp. | sugar |
| 2 tbsp. | sesame oil |
| ½ tsp. | salt |
| 1 tbsp. | toasted sesame seeds |

## Preparation & Presentation

Peel potatoes, cut in thin strips and submerge in a bowl of cold water to prevent discoloration and remove excess starch (see note). Dry on paper towels before cooking.

Heat cooking oil in a skillet over medium heat. Add garlic and stir 30 seconds until fragrant. Add potatoes, fish cake and cook 1 minute. Add green pepper and onion and cook several minutes until softened. Turn heat down to low until potatoes are just cooked. Mix seasonings together. Remove pan from the heat, gently combine the seasonings and enjoy!

### Note

▶▶ Removing excess starch from the potatoes helps prevent them from sticking to the skillet. Any leftovers from this dish can be stir fried with leftover rice and a little ketchup added at the last minute.

* Available in Asian groceries.

# 해물 삼계탕
## Chicken and Seafood Soup with Ginseng

## 준비할 재료 [1인분] 🌱

닭(영계) 1마리(28온즈)
대추 4개
전복 1개
작은 오징어 3마리
은행 6개
마늘 3쪽
감초뿌리 1조각
후춧가루 ¼작은술

불린 찹쌀 2½큰술
수삼 1뿌리
큰 새우 5마리
당근 1뿌리
청경채 20g
밤 4쪽
소금 ¼작은술
육수 14컵

## 이렇게 만드세요

1 닭은 소금물(소금1큰술+물6컵)에 잠길 정도로 30분 이상 담가 두었다가 깨끗이 씻고 소금물은 버린다. 닭의 기름(노란색)은 떼어내고 껍질도 벗긴 후 물기를 잘 닦아놓는다.

2 닭 몸통 속에 불린 찹쌀, 대추, 마늘, 밤을 넣고 내용물이 나오지 않게 다리를 엇갈리게 고정시킨다. 육수 8컵을 붓고 감초 1뿌리를 넣은 뒤 끓고부터 30분 정도 완전히 익히다가 거품이 뜨면 걷어낸다. 소금과 후추로 간을 맞추고 감초뿌리는 버린다.

3 수삼은 잔뿌리를 제거하고 향을 지속시키기 위해 불끄기 5분 전에 넣는다. 청경채는 육수 1컵에 데치고 당근도 3등분으로 잘라 육수 1컵에 데친다. 전복, 오징어, 새우도 육수 2컵에 익혀 놓는다.

4 닭을 젓가락으로 찔러보아 쑥 잘 들어가면 해물과 야채, 수삼을 모두 넣고 육수 2컵을 더부어 한번 더 끓이다가 마무리한다.

★ 예로부터 삼계탕은 최고의 보양요리로 전해지고 있다.

## 영양상식

▶▶ 은행 – 빈뇨, 야맹증, 기침, 천식에 좋음. 당질, 지방질, 단백질 등이 주성분. 카로틴, 비타민 C, 칼슘, 칼륨 풍부.

전복 – 피로회복, 두뇌활동을 돕는 비타민 B1이 들었음.

대추 – 몸을 따뜻하게 하고 신경안정, 보혈작용을 함.(몸이 찬 사람이 먹으면 효과)

당근 – 비타민A, B, 칼슘의 함량이 높고 카로틴의 함량이 많아 피부나 점막을 튼튼하게 함.

## 1 Serving

## Ingredients

| | |
|---|---|
| 1 | Cornish hen (about 1¾ lbs.) cavity well cleaned |
| 1 tbsp. | salt |
| 4 cups | water |
| 2½ tbsp. | glutinous rice*, soaked in water 20-30 minutes, drained |
| 4 | dried red Asian dates* |
| 3 | garlic cloves |
| 4 | chestnuts, peeled |
| 8 | ginko nuts* |
| 14 cups | beef broth |
| 1 slice | licorice root |
| ¼ tsp. | salt |
| ¼ tsp. | black pepper |
| 1 | fresh ginseng root*, small roots trimmed, peeled |
| 2 | pieces of Chinese greens* |
| 1 | carrot, peeled, cut in thirds |
| 1 | piece of cooked, canned abalone |
| 3 | small squid, each about 3-4 inches long |
| 5 | large shrimp, shells removed, deveined |

## Preparation & Presentation

Soak the hen in 4 cups water with 1 tbsp. salt for 30 minutes. Remove and dry the cavity.

Mix the rice, dates, garlic, chestnuts and ginko nuts and stuff the hen's cavity, securing the opening with twine or poultry skewers. Put the hen in a pot, pour in the beef broth, add the licorice and cook 30 minutes. Skim off any froth that forms during cooking.

Discard licorice, season with salt and pepper and continue cooking. When hen is nearly done, about 5 minutes before turning off the heat, add ginseng, Chinese greens, carrots, abalone, squid and shrimp.

Serve the whole chicken surrounded by seafood and vegetables in a deep bowl.

### Note

▶▶ For centuries, Koreans have considered this chicken soup as health food.

* Available in Asian groceries.

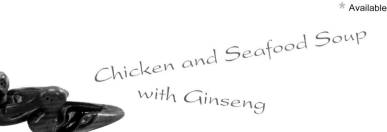

Chicken and Seafood Soup with Ginseng

# 감자탕 Whole Potato Soup

## 준비할 재료 [2인분] 🌱

돼지 등뼈갈비 1파운드
중간크기 감자 2개
양파 1개
삶은 우거지 1컵
파 2뿌리
정종 1큰술

표고버섯 4장
썰은 대파 ½컵
통마늘 20개
납작 썬 생강 5쪽
물 12컵

## 양념재료

고춧가루 2큰술
다진 마늘 1큰술
다진 생강 1작은술

후춧가루 ½작은술
산초가루 ½작은술

## 이렇게 만드세요

1 돼지 등뼈갈비는 찬 소금물(소금1큰술+물5컵)에 1시간 정도 담갔다가 핏물을 뺀 뒤에 깨끗이 씻어 뼈와 뼈 사이를 자르면 6-7조각 정도 된다.

2 통감자는 껍질을 벗긴다. 크고 오목한 냄비에 물 12컵을 붓고 갈비와 감자를 넣고 대파, 통마늘, 생강을 넣어 고기가 완전히 익을 때까지 끓인후 감자는 따로 보관한다. 고기와 국물만 냉장고에 넣어 하룻밤을 지낸뒤에 위에 떠있는 기름을 걷어버린다. 대파, 마늘, 생강 등도 버리고 국물과 갈비만 사용한다.

3 육수국물에 갈비, 감자를 넣고 끓이면서 양파와 파를 듬썩듬썩 썰어 넣고 ½등분 한 불린 표고버섯과 우거지를 넣는다. 정종 1큰술 넣고 소금으로 간을 맞춘 후 후추를 뿌리고 마무리한다.

4 양념: 고춧가루, 다진 마늘, 다진 생강은 다데기로 사용할 것.

★ 산초가루는 양념에 제맛이 나도록 식성에 맞추어 쓴다.
★ 특히 라면이나 우동국수, 만두 등을 준비했다가 밥 대신 국에 말아 먹으면 일품이다.
★ 체질에 맞는 사람에게 돼지 등뼈국물의 육수는 당뇨에 효험이 있으므로 필히 먹어보기를 권장한다.

## 2 Servings

## Ingredients

| | |
|---|---|
| 1 lb. | pork back bones |
| 5 cups | water |
| 1 tbsp. | salt |
| 2 | medium potatoes, peeled |
| 12 cups | water |
| ½ | chopped leek |
| 20 | garlic cloves |
| 5 slices | ginger |
| 1 | medium onion, quartered, cut in bite sizes |
| 2 | spring onions, trimmed, cut in 1½ inch lengths |
| 4 | black mushrooms**, softened in water, each cut in half |
| 1 cup | cooked dried Napa cabbage** |
| 1 tbsp. | rice wine or sake |
| | salt and pepper to taste |

## Sauce

| | |
|---|---|
| 2 tbsp. | hot Korean chili powder** |
| 1 tbsp. | minced garlic |
| 1 tsp. | minced ginger |
| ½ tsp. | black pepper |
| ½ tsp. | sahn-cho powder** |

## Preparation & Presentation

Soak pork in 5 cups water with 1 tbsp. salt 1 hour. Discard water, rinse pork and cut in 1½ inch pieces. In a deep pot, cook 12 cups water, potatoes, pork, leek, garlic and ginger until potatoes are done. Reserve pork, potatoes and stock in refrigerator, discarding the rest.

Skim fat from cold stock. Boil, add pork, potatoes, onion, spring onions, mushrooms and cabbage. Add sake and season with salt and pepper to taste.

Mix sauce ingredients and put in a small serving bowl. At the table, add sauce to taste and enjoy.

### Note

▶▶ Normally rice is served with this soup but substituing cooked instant noodles, udong noodles or meat dumplings will make this dish more interesting.

*Whole Potato Soup*

# 소고기 생야채 쌈말이
## Beef Rolls with Salad Vegetables

### 준비할 재료 [4인분]

얇은 소고기 ½파운드(225g)　　소금 ¼작은술
후추 ¼작은술　　　　　　　찹쌀가루 ⅓컵
참기름 3큰술　　　　　　　무순 0.3파운드
샐러리 ½줄기　　　　　　　당근(채 썰어) ½컵
적채(작은 무잎) 0.2 파운드　치커리상추 3잎
빨간 피망(채 썰어) ½컵　　　노란 피망(채 썰어) ½컵

### 냉채 소스

발효겨자 1큰술　　　　　　간장 1큰술
물엿 2큰술　　　　　　　　식초 1큰술
정종 1큰술　　　　　　　　설탕 1큰술
곱게 간 마늘 1작은술　　　곱게 간 생강 ½작은술

### 이렇게 만드세요

1  얇은 소고기는 2½인치 넓이의 타원형으로 준비하여 도마 위에 짝 편 뒤 칼끝으로 여러 곳을 두들기면서 찍어두고 고기 위에 소금과 후추, 참기름을 골고루 발라둔 뒤 찹쌀가루를 골고루 묻힌다. 판판한 후라이팬에 식용유를 두르고 찹쌀가루 묻힌 고기를 앞뒤로 살짝 살짝 익힌다.
2  무순은 밑을 자르고 잎이 파릇파릇 보이게 하고 길이를 다른 야채들과 맞춘다. 샐러리는 껍질을 살짝 벗겨 굵게 채 썰고 당근과 적채도 채 썬다. 치커리도 길이를 맞추어 자르고 빨간, 노란 피망도 채 썰어 준비한다.
3  모든 야채는 얼음물에 담갔다가 물기를 깨끗이 제거한 뒤 노릇노릇 구운 소고기에 골고루 놓고 돌돌 말아 싸준다.
4  냉채소스 재료들을 분량대로 다 합쳐 섞은 후에 소고기 생야채쌈말이를 냉채소스에 찍어 먹는다.

### 영양상식

▶▶ 소고기는 인산의 함량이 많은 산성식품이므로 알칼리성 식품인 채소를 풍부하게 넣어서 중화시키는 것이 좋다.

## 4 Servings
### Ingredients

| | |
|---|---|
| ½ lb. | lean beef, sliced in thin 2½ inch ovals |
| ¼ tsp. | salt |
| ¼ tsp. | black pepper |
| 3 tbsp. | sesame oil |
| ⅓ cup | glutinous rice powder |
| cooking oil, as needed | |
| ½ stalk | tender celery, peeled, cut in strips |
| 1 | medium carrot, cut in 2½ inch strips |
| ½ | red bell pepper, cut in 2½ inch strips |
| ½ | yellow bell pepper, cut in 2½ inch strips |
| 3 | chicory or escarole leaves (large ones), cut in strips |
| ½ cup | radish shoots, green parts only |

### Dipping Sauce

| | |
|---|---|
| 1 tbsp. | soy sauce |
| 1 tbsp. | vinegar |
| 2 tbsp. | corn syrup |
| 1 tbsp. | rice wine or sake |
| 1 tbsp. | hot mustard |
| 1 tbsp. | sugar |
| 1 tsp. | finely minced garlic |
| ½ tsp. | finely minced ginger |

### Preparation & Presentation

Gently pound each piece of beef to the same thickness and expanded size. Sprinkle with salt and pepper, brush with sesame oil and lightly coat each piece with rice powder.
Heat cooking oil in a skillet and quickly saute both sides of each beef wrap until done.
Dip all the raw vegetables in icy water and dry well.
Puree sauce ingredients to a thick consistency in a food processor. Pour the finished sauce in a small bowl for serving.
Top each piece of beef with a bit of each vegetable and roll up like sushi. Arrange all the rolls on a platter and serve with dipping sauce on the side.

Beef Rolls with Salad Vegetables

## 수육 야채
## 잣소스 무침

### Beef Salad
### with Pine Nut Dressing

### 준비할 재료 [4-5인분] 🌿

소고기 300g(10온즈)  당근 1개  can 죽순 ½컵
한국배 ½개  삶은 시금치 1컵  피클오이 2개
미나리(잘게 썰어) 1컵  감초뿌리 2조각  다시마(사방 4인치) 1장
간장 1큰술  양파 ½개  정종 1큰술
대파(썰어) ½컵

### 양념 재료

잣(곱게 다져) 5큰술  참기름 3큰술  볶은 깨 2큰술
다진 마늘 1작은술  다진 파 2큰술  맛소금 ½작은술
후추 ¼작은술

### 이렇게 만드세요

1 소고기는 물을 넉넉히 붓고 감초 2조각, 다시마 1장, 간장 1큰술, 양파 ½개, 정종 1큰술, 대파(썰어) ½컵을 넣고 푹 삶아 고기만 건져 찢어 놓는다. (다른 재료는 버리고 국물은 남겨둔다)
2 당근은 껍질을 벗기고 길쭉하게 손가락 둘째마디 정도의 길이로 썰고 can 죽순도 당근모양으로 썰어 고기 삶은 물에 데쳐낸다.
3 한국배 ½개는 껍질을 벗기고 납작하게 썰어놓고 시금치는 삶아 1컵 준비한다. 미나리는 연한 쪽으로 깨끗이 다듬어 씻은 뒤 잘게 썰어 1컵 준비하고 피클오이 2개도 납작하게 썰어놓는다.
4 판판한 그릇에 모든 재료 "1", "2", "3"을 모두 담고 먹기 전에 분량에 맞춘 양념재료를 준비했다가 골고루 무친 후 모양있게 담아낸다.

★ 여름철 음식으로 영양가 높고 맛이 일품이며 쑥갓이나 부추도 섞어 낼 수 있다.

### 영양상식

▶▶ 오이 - 수분이 많고 칼륨 함량이 높은 알칼리성 식품으로 비타민 A, C가 풍부하며, 엽록소와 비타민 C는 피부미용에도 효과가 있다.
미나리 - 독특한 향이 나는 방향성 정유 성분이 입맛을 돋운다. 냉증치료에 좋다. 정신을 맑게하고 혈액을 보호하며, 철분과 독특한 정유성분 때문에 혈압강하, 해독작용이 있다. 고혈압, 동맥경화, 황달 등의 증세에 효과가 있다.

## 4-5 Servings

## Ingredients

| | |
|---|---|
| 10 oz. | lean beef |

## Seasonings

| | |
|---|---|
| 2 slices | licorice root |
| 1 sheet | kelp |
| 1 tbsp. | soy sauce |
| ½ | medium onion, chopped |
| 1 tbsp. | sake |
| ⅓ cup | leek, cleaned and chopped |

## Dressing:

| | |
|---|---|
| 5 tbsp. | pine nuts, finely chopped |
| 2 tbsp. | toasted sesame seeds |
| 2 tbsp. | spring onion, finely chopped |
| ¼ tsp. | black pepper |
| 3 tbsp. | sesame oil |
| 1 tsp. | finely minced garlic |
| ½ tsp. | Korean seasoned salt (maht-so-geum**) |
| | |
| 1 | medium carrot, cut in 1½ inch pieces |
| ½ cup | canned bamboo shoots, cut in 1½ inch pieces |
| ½ | Asian pear, peeled, cored and sliced |
| 1 cup | blanched spinach leaves |
| 1 cup | Chinese celery, chopped |
| 2 | pickling cucumbers, thinly sliced |

## Preparation & Presentation

In a saucepan, cover beef with water, add seasoning ingredients and cook beef until done. Remove beef and tear in bite size strips. Discard seasonings and reserve stock for another use or recipe.
Mix dressing ingredients.
Artfully arrange the beef and remaining ingredients on a platter. At the table, just before serving, gently toss with the dressing and enjoy!

### Note

▶▶ This dish is good on hot summer days to stimulate the appetite. Some edible chrysanthemum or Chinese garlic chives can be added for extra flavor.

** Available in Korean specialty grocery.

# 감자, 돼지고기, 닭고기 조림 Braised Potatoes, Pork and Chicken

## 준비할 재료 [5-6인분] 🌱

아주 작은 감자 14온즈(400g)
닭고기 ½파운드 (227g)
곱게 간 마늘 1큰술
후추 1작은술
물 ⅓컵
물엿 ⅓컵
마른 빨간 고추 5개

돼지고기 살코기 1파운드(454g)
납작 썬 생강 15쪽
곱게 간 생강 1큰술
포도주 2큰술
설탕 ⅓컵
진간장 ⅓컵
물 11컵

## 이렇게 만드세요

1 감자는 솔로 껍질을 싹싹 비벼씻어 물에 담갔다가 삶아 놓는다.(젓가락으로 찔러서 적당히 쏙 들어가면 불을 끄고 찬물에 헹구어 놓는다.)

2 돼지고기와 닭고기는 기름없는 부분으로 찬물 4컵에 30분 이상 담갔다가 큼직큼직하게 감자 크기만큼 잘라 납작 썬 생강15쪽과 정종 2큰술에 물 7컵을 붓고 삶아 놓는다. 생강은 버리고 고기만 준비한다.

3 오목한 큰 냄비에 물 ⅓컵, 곱게 간 마늘 1큰술, 곱게 간 생강 1큰술, 후추 1작은술, 포도주 2큰술, 설탕 ⅓컵, 물엿 ⅓컵, 진간장 ⅓컵을 다 함께넣고 팔팔 끓인다. 거품이 나면서 조림양념이 될 때 삶은 감자, 삶은 돼지고기, 삶은 닭고기 모두 넣고 조린다. 이 때 마른 매운 빨간 고추 5개를 통째로 넣는다. 국물이 거의 졸여지고 약간 자작할 때 불을 끄고 접시에 담아 상에 낸다.

## 영양상식

▶▶ 닭고기 – 주성분은 단백질, 담백한 맛과 부드러운 육질이 일품이며 근육 속에 기름이 섞여있지 않아 소화흡수가 잘 된다.
돼지고기 – 단백질과 지방질이 주성분이며 돼지고기의 지방은 칼로리가 높아 에너지원으로 아주 좋다.

## 5-6 Servings

### Ingredients

| | |
|---|---|
| 1 lb. | lean pork |
| ½ lb. | chicken boneless breast meat |
| ¾ lb. | new potatoes, peeled, cut walnut size and cooked |
| 7 cups | water |
| 2 tbsp. | rice wine |
| 15 | ginger slices |
| 5 | dried red (hot) chilies |

### Seasoning

| | |
|---|---|
| 1 tbsp. | minced garlic |
| 1 tbsp. | minced ginger |
| 1 tsp. | black pepper |
| 2 tbsp. | rice wine or sake |
| ⅓ cup | water |
| ⅓ cup | sugar |
| ⅓ cup | dark soy sauce |
| ⅓ cup | corn syrup |

### Preparation & Presentation

Cover pork and chicken with cold water and soak 30 minutes. Discard water and cut meat in sizes similar to potatoes.
In a pot, boil 7 cups water with rice wine and ginger. Add pork and chicken, lower the heat and cook until done. Strain, discard ginger and reserve meat.
On medium high heat, combine seasoning ingredients in a sauce pan and boil. When froth rises, skim it off and then add meat, potatoes and chilies. Braise until liquid is reduced to a thick sauce.
Serve and enjoy with other side dishes.

Braised Potatoes
Pork and Chicken

# 라조기

## Fried Chicken with Spicy Sauce

### 준비할 재료 [4-5인분] 🌱

닭고기(기름없는 가슴살코기) ½파운드(8온즈, 227g)
다진 마늘 1큰술 　　　　후추 ½작은술
정종 1½큰술 　　　　　　달걀 2개
녹말가루 4큰술 　　　　　식용유 2컵

### 야채 재료

납작 썬 송이버섯 ½컵 　　피클오이 1개
달콤한 작은 홍고추 2개 　노란고추 2개
파 2뿌리 　　　　　　　　표고버섯 5장

### 양념 재료

곱게 간 마늘 1큰술 　　　곱게 간 생강 1큰술
정종 1큰술 　　　　　　　진간장 1큰술
참기름 2큰술 　　　　　　매운 마른고추 3개
Sesame Chili Oil 1작은술 　육수 1컵
녹말물 2큰술

### 이렇게 만드세요

1 닭고기는 찬물에 30분 이상 담갔다가 깨끗이 씻어 물기를 닦고 먹기 좋게(세로 2인치, 가로 1인치) 썰어 다진 마늘 1큰술, 후추 ½작은술, 정종 1½큰술을 닭고기와 같이 골고루 무친다. 녹말가루 4큰술에 다시 무친 뒤 달걀 2개를 잘 저어 섞은 뒤 식용유에 2번 튀겨낸다.

2 납작하게 썬 송이버섯과 고추(빨간색, 노란색) 각각 2개는 길쭉길쭉하게 썰어둔다. 피클오이는 깨끗이 씻어 대각선으로 썰고 파 2뿌리도 깨끗이 씻어 길쭉길쭉하게 썰어놓는다. 표고버섯은 물에 불려 기둥을 떼고 큼직큼직하게 썰어 준비한다.

3 오목한 후라이팬에 먼저 센 불을 켜서 참기름 2큰술을 넣고 마른고추를 반으로 잘라 씨를 털고 넣는다. Sesame Chili Oil 1작은술을 넣고 타지 않게 매콤한 향이 기름에 배이도록 볶다가 곱게 간 마늘 1큰술, 곱게 간 생강 1큰술, 준비한 야채(송이, 고추, 파, 표고버섯)를 넣는다. 센불에서 짧은 시간에 빨리 볶은 뒤 진간장 1큰술, 정종 1큰술, 육수 1컵을 붓고 끓을 때 곧바로 튀겨놓은 닭고기를 넣고 끓이다가 닭에 양념이 골고루 배이면 맨 마지막에 납작 썬 오이를 넣고 젓는다. 접시에 담기 전에 물에 탄 녹말물을 넣고 잘 저어 골고루 걸쭉하게 되면 접시에 담아낸다.

★ 녹말물을 넣을 때 참기름 ½작은술을 녹말물에 타서 넣으면 음식이 더욱 반짝반짝 윤이 난다.

### 영양상식

▶▶ 닭고기 - 담백한 맛, 부드러운 육질이 일품. 근육 속에 기름이 섞여있지 않기 때문에 맛이 담백하고 소화흡수가 잘된다. 주성분은 단백질이며 지방도 소량 들어있다. 체중 때문에 걱정하는 사람은 기름기가 거의 없는 닭가슴살을 충분히 섭취하는 것이 좋다.

## 4-5 Servings

### Ingredients

| | |
|---|---|
| ½ lb. | boneless, skinless chicken breast |
| 1 tbsp. | minced garlic |
| ½ tsp. | black pepper |
| 1½ tbsp. | rice wine or sake |
| 4 tbsp. | cornstarch |
| 2 | eggs, lightly beaten |
| 2 cups | cooking oil |
| 2 tbsp. | sesame oil |
| 1 tsp. | sesame chili oil* |
| 3 | dried hot chili, seeds removed, cut in halves |
| 1 tbsp. | finely minced garlic |
| 1 tbsp. | finely minced ginger |
| ½ cup | button mushrooms, sliced |
| 5 | dried black mushrooms, softened in warm water, each cut in 2-3 pieces |
| 2 | red sweet banana peppers, seeds removed, cut in 1 inch pieces |
| 2 | yellow sweet banana peppers, seeds removed, cut in 1 inch pieces |
| 2 | spring onions, trimmed, cut in 1 inch lengths |
| 1 tbsp. | rice wine or sake |
| 1 tbsp. | dark soy sauce |
| 1 cup | meat stock |
| 1 | pickling cucumber, sliced on diagonal |
| 2 tbsp. | cornstarch water, about 2 parts water to 1 part cornstarch |

### Preparation & Presentation

Submerge chicken in cold water 30 minutes, pat dry and cut in 2 x 1 inch pieces. Combine chicken, garlic, black pepper and sake. Coat chicken with cornstarch, then with egg. Heat cooking oil and fry chicken until just cooked, remove pieces to paper towel, then refry until crispy on outsides.

Heat sesame oil and chili oil together, add dried chili, garlic, ginger and stir, then add both the mushrooms, both peppers and spring onions and stir fry. Add rice wine, soy sauce and stock and bring to boil. Stir in fried chicken and cucumber. At the last minute, thicken with cornstarch water.

### Note

▶▶ To add sheen and richness to the sauce, put about ½ tsp. sesame oil in the cornstarch water.

Fried Chicken
with Spicy Sauce

# 김치 당면 소고기 잡채

## Transparent Noodles with Kimchi

### 준비할 재료 [4인분] 🌿

| | |
|---|---|
| 소고기 살코기(채 썰어) ⅓컵(3온즈) | 삶은 당면 2½컵 |
| 배추김치(채 썰어) 1컵(6온즈) | 씻은 배추김치(채 썰어) 1컵(6온즈) |
| 볶음통깨 ¼컵 | 진간장 2큰술 |
| 식용유 4큰술 | Splenda 1큰술 |
| 후추 ½작은술 | 참기름 2큰술 |

### 이렇게 만드세요

1 소고기 살코기는 채 썰어 후라이팬에 식용유 1큰술을 두르고 볶아 놓는다.

2 당면은 삶아서 먹기 좋게 가위로 잘라 식용유 2큰술을 넣고 반짝 반짝하게 볶아놓는다.

3 배추김치는 채 썰어 1컵 준비하고 또 1컵은 배추 김치를 물에 씻어 양념을 털고 물기를 짠 뒤에 채 썰어 참기름 1큰술에 조물조물 무쳐놓는다. 후라이팬에 식용유 1큰술을 두른 뒤 씻은 김치와 씻지 않은 김치 채썬 것을 아삭할 정도로만 살짝 볶는다.

4 소고기 볶음, 당면 볶음, 김치 볶음을 한데 넣고 잠깐 더 볶다가 Splenda 1큰술, 후춧가루½작은술, 볶음통깨 ¼컵, 진간장 2큰술을 넣고 골고루 잘 저은 뒤에 불을 끄고 예쁜 접시에 담아낸다.

★ 김치 당면 잡채는 특별한 양념이 필요없고 다른 야채들을 번거롭게 씻고, 볶고, 할 필요도 없어 아주 간편하게 구수한 맛을 낼 수 있다. 반찬이 마땅치 못할 때 아주 적격이다.
김치는 항상 준비되어 있고, 거의 많은 집에는 당면과 소고기가 구비 되어 있다. 이럴 때 있는 재료로 근사한 요리를 만들어 볼 수 있다.

### 4 Servings
### Ingredients

| | |
|---|---|
| 3 oz. | lean beef, cut in strips |
| 1 tbsp. | cooking oil |
| 2½ cups | cooked transparent noodles, cut in random 2-3 inch lengths |
| 2 tbsp. | cooking oil |
| 1 cup | Napa cabbage kimchi**, cut in strips |
| 1 cup | Napa cabbage kimchi**, rinsed and cut into strips |
| 2 tbsp. | sesame oil |
| 1 tbsp. | cooking oil |
| 1 tbsp. | sweetener (Splenda) |
| ½ tsp. | black pepper |
| ¼ cup | toasted sesame seeds |
| 2 tbsp. | soy sauce |

### Preparation & Presentation

Stir fry beef in 1 tbsp. cooking oil and set aside. Stir fry noodles in 2 tbsp. cooking oil and set aside.
Mix both kinds of kimchi with 2 tbsp. sesame oil. Heat 1 tbsp. cooking oil and stir fry kimchi, then add beef and noodles. Season with sweetener, black pepper, toasted sesame seeds and lastly with soy sauce. Enjoy the full flavors of this traditional dish.

### Note
▶▶ This is an easy dish to prepare because the ingredients are staples in every home's pantry.

\*\* Available in Korean specialty groceries.

# 들깨가루 더덕 돼지불고기

## Barbequed Pork with Duh-Duck

### 준비할 재료 [4인분]

삼겹살 400g

더덕 200g(7온즈)

### 양념고추장 재료

고추장 3큰술
꿀 1큰술
흑설탕 3½큰술
다진 마늘 1큰술
물엿 2큰술
양파 1개
들깨가루 1작은술

고춧가루 1½큰술
참기름 3큰술
정종 1큰술
곱게 다진 생강 1큰술
대파(큼직하게 썰어) 1컵
후추 ¼작은술

### 이렇게 만드세요

1 삼겹살은 불고기감으로 준비하여 2인치 정도로 넓게 자르고 더덕
은 껍질이 있으면 벗겨 어슷어슷하게 채 썰어 놓는다.

2 양념고추장 재료를 골고루 섞어 더덕과 삼겹살에 따로 무쳐 양념했
다가 나중에 같이 섞어 20-30분 정도 고기와 더덕에 간이 배게
한 뒤에 석쇠나 팬에 구어낸다.

### 영양상식

▶▶ 더덕 - 독특한 향취가 으뜸이며 쌉쌀한 듯하면서도 단맛이 나는
것이 특징이다. 칼슘, 인 등 무기질이 풍부하며 식물성 섬
유도 많이 들어있으며 인삼의 주성분인 사포닌도 들어있
다. 위와 장을 튼튼하게 하며 건위제, 간장제로 쓰여왔으며
기침에도 좋다.

## 4 Servings

### Ingredients

| 12 oz. | pork bellies |
| ¼ lb. | duh-duck** (codoropsis root) |

### Marinade

| 3 tbsp. | hot Korean chili paste** |
| 1 tbsp. | honey |
| 3½ tbsp. | brown sugar |
| 1 tbsp. | minced garlic |
| 2 tbsp. | corn syrup |
| 1 | small onion, grated |
| 1½ tbsp. | Korean hot chili powder** |
| 3 tbsp. | sesame oil |
| 1 tbsp. | sake |
| 1 tbsp. | minced ginger |
| 1 cup | spring onion, trimmed and sliced |
| ¼ tsp. | black pepper |
| 1 tsp. | perrila seed powder** |

### Preparation & Presentation

Slice pork bellies thinly like bacon. Peel codoropsis root and slice. Mix marinade ingredients and marinate pork and root slices 20-30 minutes.
Finish either by grilling on a barbeque, broiling or quickly stir frying in a very hot skillet.

\* Available in Asian groceries.
\*\* Available in Korean specialty grocery.

# 돼지 갈비찜 Braised Spare Ribs

## 준비할 재료 [4-5인분]

돼지갈비 1½파운드(681g)  표고버섯 3장
감자(중간크기) 1개  당근 ½개
양파 ½개  은행 6알
식용유 3큰술  빨간 마른 고추 2개
물 2½컵  곱게 다진 생강 1큰술
다진 대파 2큰술

## 양념장 재료

진간장 1큰술  고추장 2큰술
흑설탕 2큰술  물엿 1큰술
곱게 다진 마늘 1큰술  참기름 3큰술
후추 ½작은술  된장 ½큰술
정종 2큰술

## 이렇게 만드세요

1  돼지갈비는 2인치 크기로 토막을 낸 뒤 찬물에 30분 이상 담갔다가 핏물을 뺀 후에 갈비살에 잔 칼집을 넣는다. 곱게 다진 생강과 곱게 다진 대파를 갈비살에 바른 뒤에 오목한 후라이팬에 식용유 3큰술을 붓는다. 빨간 마른 고추는 반을 잘라 씨를 털고 기름과 같이 볶다가 돼지갈비를 넣고 노릇노릇 지진다. 기름과 고추는 버리고 갈비는 양념장에 담가둔다.

2  깊고 오목한 냄비에 양파 ½개를 4등분해 깔고 당근 ½개도 큼직하게 4등분하여 깐다. 감자는 6등분으로 잘라서 깔고 그 위에 물에 충분히 불린 표고버섯의 기둥을 떼버리고 감자 위에 얹는다. 물 2½컵을 자작하게 부은 뒤 "1"의 양념에 재워둔 갈비를 가지런히 올리고 양념도 다 넣는다.

3  센 불에서 익히다가 갈비가 한소큼 끓으면 불을 약하게 줄이고 천천히 익힌다. 국물이 거의 줄어들면 마지막으로 은행 6알을 넣고 다시 센불에서 재빨리 뒤적이면 윤기가 난다. 젓가락으로 찔러보고 고기가 연하게 들어가고 양념이 고기에 골고루 배면 완성된 돼지갈비찜이 된다.

## 영양상식

▶▶ 돼지갈비 – 단백질과 지방질이 주성분, 돼지고기의 지방은 칼로리가 높아 에너지원으로 좋을 뿐만 아니라 뇌의 활동에 없어서는 안될 필수적인 작용을 한다. 기름기를 적당히 떼어내어 조리하면 아이들의 영양보급원으로 좋다.

## 4-5 Servings

### Ingredients

| | |
|---|---|
| 1½ lbs. | pork spare ribs, cut in 2 inch lengths |
| 3 tbsp. | cooking oil |
| 1 tbsp. | minced ginger |
| 2 tbsp. | chopped spring onions or leek, cleaned, trimmed |
| 2 | dried hot chilies |

### Sauce

| | |
|---|---|
| 1 tbsp. | soy sauce |
| 2 tbsp. | Korean hot chili paste** |
| 2 tbsp. | brown sugar |
| 2 tbsp. | rice wine or sake |
| 1 tbsp. | corn syrup |
| 1 tbsp. | finely minced garlic |
| 3 tbsp. | sesame oil |
| ½ tbsp. | Korean bean paste** |
| ½ tsp. | black pepper |
| ½ | medium onion, quartered |
| ½ | carrot, peeled, quartered |
| 1 | medium potato, cut in 6 pieces |
| 3 | dried black mushrooms**, softened in warm water |
| 2½ cups | water |
| 6 | ginko nuts** |

### Preparation & Presentation

Submerge ribs in enough water to cover 30 minutes. Mix sauce ingredients.  Pat dry ribs and make shallow cuts to absorb seasoning.

Heat cooking oil and stir fry ginger, spring onions and dried chilies, then brown ribs.  Discard any oil and chilies in pan. Add sauce to ribs.

Line a heavy pan with onions, carrots, potatoes and mushrooms, top with ribs, pour in water and bring to a boil. Lower heat and simmer until liquid is almost gone. Add ginko nuts and, to give ribs a nice sheen, turn heat to high for about 1 minute. Transfer ribs and vegetables to a warm serving platter and enjoy.

** Available in Korean specialty groceries.

Braised Spare Ribs

# 돼지고기 무말랭이 장조림
## Braised Pork with Dried Radish

### 준비할 재료 🌱

기름기 없는 돼지고기 300g(11온즈)   무말랭이 2컵
마른 매운 고추 3개                  대파 1대
통마늘 4쪽                          후추 ½작은술
생강(납작 썰어)10쪽

### 장조림양념장 재료

간장 5큰술            정종 3큰술
물엿 3큰술            흑설탕 3큰술
참기름 2큰술

### 이렇게 만드세요

1  기름기 없는 돼지고기를 구입하여 찬물에 30분 정도 담근다. 물기를 닦은 후 5인치 정도 길이로 잘라 면실로 단단하게 묶어둔다.

2  무말랭이는 찬물에 담갔다가 부드러워지면 두세번 주물러 씻어 물기를 꼭 짜놓는다. 대파는 잘라놓고 마늘과 생강은 납작하게 썰어놓는다. 마른 매운 고추는 반을 갈라 씨를 털어놓는다.

3  면실에 감아놓은 돼지고기를 냄비에 넣고 물4컵을 자작하게 부어 끓인다.

4  20~25분정도 끓이다가 젓가락으로 고기를 찔러 보아 피가 나오지 않으면 물 1컵 분량만 남기고 나머지물은 버린다. 여기에 장조림 양념장 재료인 간장, 정종, 물엿, 흑설탕, 참기름을 분량대로 넣고 후추, 대파, 마늘, 생강, 마른 고추를 넣고 중간불로 졸인다.

5  돼지고기에 간장색이 배이고 말랑말랑할 때 무말랭이를 넣고 더 졸이다가 무와 고기에 간이 다 배는 듯하면 불을 끈다.

6  매운 고추, 대파, 생강은 걷어버리고 돼지고기의 면실을 풀고 얇게 썰어 무말랭이와 함께 접시에 담아낸다. 무말랭이가 아주 말랑말랑하며 고기도 부드럽게 된다.

### 영양상식

▶▶ 무에는 디아스타제라는 전분분해효소가 들어있어 음식의 소화흡수를 촉진한다. 수분이 90%를 차지하며 비타민 C와 식물성섬유가 풍부해 장내의 노폐물을 청소하는 역할을 한다. 무말랭이는 햇볕에 말렸으므로 비타민D도 함유하고 있다.

### Ingredients

| | |
|---|---|
| 11 oz. | lean pork |
| | water, to soak |
| 4 cups | water |
| 1 | leek, well rinsed, cut in 1 inch pieces |
| 4 | garlic cloves, sliced |
| 10 | fresh ginger slices |
| 3 | dried hot chilies, cut in halves, seeds removed |

### Sauce

| | |
|---|---|
| 5 tbsp. | soy sauce |
| 3 tbsp. | corn syrup |
| 2 tbsp. | sesame oil |
| 3 tbsp. | rice wine or sake |
| 3 tbsp. | brown sugar |
| | |
| 2 cups | dried radish**, soaked until rather soft, then rinsed well |

### Preparation & Presentation

Cover pork with water and soak 30 minutes. Cut in 2½ inch squares, then tie each piece with twine.

In a pot, cook pork with 4 cups water, leek, garlic, ginger and chilies 20-25 minutes or until done.

Reserve 1 cup of water and discard the rest.

Mix the sauce ingredients with 1 cup reserved water and add to pork mixture. Add radishes and cook until soft, not mushy, and little liquid remains. Discard chilies, ginger and leeks. Remove twine from pork pieces and thinly slice each piece. Arrange pork and radishes on a platter and serve.

✻✻ Available in Korean specialty groceries.

Braised
Spare Ribs

# 돼지고기 표고버섯 쌈된장

## Pork and Black Mushroom Wrap

### 준비할 재료 🌱

돼지고기 ½파운드
된장 2큰술
곱게 다진 파 2큰술
다진 마늘 ½큰술
후추 ½작은술
볶은 깨 2큰술

표고버섯 7장
고추장 2큰술
참기름 1큰술
다진 생강 ½작은술
포도주 1큰술
설탕 2큰술

### 이렇게 만드세요

1  돼지고기는 기름없는 살코기를 잘게 다져놓고 표고버섯은 충분히 불린뒤에 기둥을 떼고 잘게 썰어 놓는다.
2  "1"의 돼지고기와 표고버섯에 참기름 1큰술을 넣고 후추를 뿌리고 볶다가 포도주를 넣고 한 번 더 볶은 뒤에 다진 생강, 다진 마늘을 넣고 다시 볶는다.
3  완전히 뜨거운 김이 없어지도록 식힌 뒤에 된장, 고추장, 다진 파, 볶은 깨, 설탕을 넣고 골고루 잘 섞은 후 각종 상추, 깻잎, 쑥갓, 찜 통에 찐 양배추 등에 쌈장으로 싸서 먹는다.

### 영양상식

▶▶ 표고버섯에는 양질의 섬유질이 많아 콜레스테롤이 체내에 흡수되는 것을 억제하여 체내의 콜레스테롤 수치를 떨어뜨린다. 돼지고기의 누린내를 없애고 표고버섯의 향과 맛을 더하므로 돼지고기와 표고버섯은 찰떡궁합이다.

## Ingredients

| | |
|---|---|
| 1 tbsp. | sesame oil |
| ½ lb. | lean ground pork |
| 7 | dried black mushrooms*, softened in warm water, diced |
| ¼ tsp. | black pepper |
| ½ tsp. | minced fresh ginger |
| ½ tbsp. | minced garlic |
| 1 tbsp. | cooking wine or sake* |

### Seasoned Paste

| | |
|---|---|
| 2 tbsp. | Korean bean paste** |
| 2 tbsp. | sugar |
| 2 tbsp. | spring onion, finely chopped |
| 2 tbsp. | sesame seeds, toasted |
| 2 tbsp. | Korean hot chili paste** |

### Leaf Wraps

perrila leaves* (kat-nip), clean and dry
edible chrysanthemum leaves* (sue-kaht), clean and dry
cabbage leaves, blanched, patted dry

### Preparation & Presentation

Heat sesame oil, add pork and stir fry 3-5 minutes. Add black mushrooms and stir fry 2 minutes. Add black pepper, ginger, garlic and wine and stir.  Remove from heat and cool.

Stir the seasoned paste ingredients together and place in a small bowl. (This can be done in advance.)

Arrange the various leaf wraps attractively on a large platter and serve. At the table, choose a leaf, top with a spoonful of the pork and mushroom mixture and a dab of seasoned paste. Then just roll it up and enjoy. Try different leaves to savor all the taste combinations this dish affords.

 * Available in Asian groceries.
** Available in Korean specialty grocery.

# 소고기 송이버섯 쌈된장
## Beef and Mushroom Wrap

## 준비할 재료 🌱

소고기 0.4 파운드
된장 2큰술
설탕 2큰술
후추 ⅛작은술
곱게 다진 파 2큰술
다진 양파 2큰술

송이버섯 8개
고추장 2큰술
다진 마늘 ½큰술
볶은 깨 2큰술
포도주 1큰술
참기름 2큰술

## 이렇게 만드세요

1 기름없는 살코기를 곱게 다지고 송이버섯도 곱게 다진다.

2 참기름 2큰술에 다진 고기를 완전히 익힌 뒤 버섯, 다진 마늘, 포도주, 후추를 넣고 볶는다.

3 완전히 식힌 뒤에 다진 양파, 볶은 깨, 된장, 고추장, 설탕, 다진 파를 넣고 잘 섞은 후 쌈장으로 쓴다.

## 영양상식

▶▶ 송이- 향긋한 맛과 향 때문에 많은 분들에게 사랑받는 식품으로 비타민 D의 일종인 엘고스테린과 비타민 B2가 풍부하다. 감칠맛은 구아닐산이 내며 체내 콜레스테롤 수치를 떨어뜨리는 장수식품이다.

소고기- 인산의 함량이 많은 산성식품이므로 알카리성인 채소를 곁들이면 영양의 균형이 맞다.

## Ingredients

| | |
|---|---|
| 2 tbsp. | sesame oil |
| ¼ lb. | lean ground beef |
| 8 | button mushrooms, chopped |
| ¼ tsp. | black pepper |
| ½ tbsp. | minced garlic |
| 1 tbsp. | Chinese cooking wine or sake* |

### Seasoned Paste

| | |
|---|---|
| 2 tbsp. | Korean bean paste** |
| 2 tbsp. | Korean hot chili paste** |
| 2 tbsp. | sugar |
| 2 tbsp. | spring onion, finely chopped |
| 2 tbsp. | toasted sesame seeds |
| 2 tbsp. | minced onion |

### Leaf Wraps

perrila leaves* (kat-nip)
edible chrysanthemum leaves* (sue-kaht)
cabbage leaves, blanched

## Preparation & Presentation

Heat sesame seed oil and stir fry the beef 3-5 minutes until loose yet moist. Add mushrooms and stir fry 2 minutes, then add black pepper, garlic and wine and stir. Remove from heat and serve at room temperature.

Gently mix the seasoned paste ingredients together (can be done in advance).

To enjoy, choose a leaf or combination of leaves, place a spoonful of the beef and mushroom mixture in the center, top with a dab of seasoned paste to taste, fold or roll into a bundle and savor each tasty bite.

\* Available in Asian groceries.
\*\* Available in Korean specialty grocery.

# 오징어 버섯 덮밥 <br> Cuttlefish and Mushrooms on Rice

## 준비할 재료 [3~4인분]

물오징어 1마리(14온즈)  느타리버섯 1컵(2온즈)
실국수곤약 1컵(3온즈)  양파 1개
애호박(납작 썰어) 1컵  풋고추 3개
대파(썰어) ½컵  깻잎(채 썰어) ½컵
육수 ½컵  식용유 1큰술
녹말물 3½큰술(녹말가루 2큰술 + 물 3큰술)

## 양념 재료

고운 고춧가루 1큰술  굵은 고춧가루 1큰술
곱게 다진 마늘 1큰술  고추장 1큰술
곱게 다진 생강 ½큰술  참기름 3큰술
간장 1큰술  후춧가루 ½작은술
볶음통깨(흰색, 검은색) 2큰술  설탕 3큰술

## 이렇게 만드세요

1 오징어는 깨끗이 손질하여 씻은 뒤 채 썰어놓고 느타리버섯은 적당히 찢어 깨끗이 씻어 물기를 빼 놓는다.
2 국수곤약을 준비하고 양파 1개는 채 썰어놓는다. 애호박은 납작하게 썰어 1컵 준비하고 풋고추는 덤썩덤썩 썰어놓는다. 대파는 잘게 썰어 ½컵 준비하고 깻잎도 채썰어 ½컵 준비해 둔다.
3 오목한 후라이팬에 식용유 1큰술을 두르고 양파, 대파, 풋고추, 느타리버섯, 국수곤약을 먼저 넣고 볶다가 오징어를 넣고 볶는다. 양념재료들을 한데 섞어 모두 넣고 육수 ½컵을 넣고 끓이다가 마지막에 납작 썬 애호박과 깻잎을 넣는다. 잘 저은 후에 녹말물을 넣어 농도를 맞추고 불을 끈다.
4 접시에 밥을 담고 그 옆에 오징어볶음을 담아 완성한다.

★ 오징어볶음 덮밥은 양념을 충분히 넣어야 제맛이 난다. 설탕이 들어가야 감칠맛이 나며 녹말물을 넣어야 볶음에 윤기가 나고 농도도 적당하게 맞추어진다.

## 영양상식

▶▶ 오징어에는 단백질이 어떤 생선류보다 많이 들어 있고 타우린같은 몸에 좋은 성분이 풍부해 고혈압, 동맥경화, 심장병, 당뇨병, 시력 감퇴 등 각종 성인병에 효과가 있다. 비타민 B12가 있어 여성빈혈, 폐경기에 동반하는 갱년기 장애에 효과가 있고 뇌의 각종 질환이나 치매 등도 예방하여 새로운 건강식품으로 각광받고 있다.

## 3-4 Servings
### Ingredients

| | |
|---|---|
| 1 tbsp. | cooking oil |
| 1 | medium onion, sliced |
| ½ cup | leek, well rinsed, coarsely chopped |
| 3 | green chilies, seeds removed, cut in 1 inch lengths |
| 1 cup | oyster mushrooms, torn in bite sizes |
| 1 cup | yam noodles, cut in 1-3 inch lengths |
| 14 oz. | cuttlefish, cleaned, rinsed and cut in strips |
| ½ cup | meat stock |
| 1 cup | zucchini, sliced |
| ½ cup | perrila leaves, cut in strips |
| 3 tbsp. | water |
| 2 tbsp. | cornstarch |
| 4 cups | cooked rice |

### Seasoning

| | |
|---|---|
| 1 tbsp. | hot Korean chili powder** |
| 1 tbsp. | coarse hot Korean chili powder** |
| 1 tbsp. | finely minced garlic |
| 1 tbsp. | hot Korean chili paste** |
| ½ tbsp. | finely minced ginger |
| 3 tbsp. | sesame oil |
| 1 tbsp. | soy sauce |
| ½ tsp. | black pepper |
| 2 tbsp. | toasted black and white sesame seeds |
| 3 tbsp. | sugar |

### Preparation & Presentation

Mix the seasonings and set aside.
In a large skillet, heat cooking oil and stir fry onions, leeks, chilies and mushrooms 2-3 minutes. Add yam noodles and cuttlefish. Add seasonings and meat stock and bring to a boil. Add zucchini and perrila leaves. Mix the water and cornstarch and add to thicken.
To serve, put a cup of rice in an individual bowl. Ladle or pour ¼ of the cuttlefish mixture over the rice and enjoy!

### Note

▶▶ Sugar brings out the best of the other flavors in this dish, while the cornstarch water adds a sheen and visual richness. For this dish, a little over seasoning is better than too little seasoning.

** Available in Korean specialty groceries.

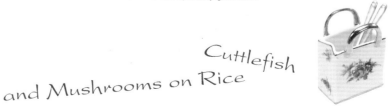

# 김말이 메밀국수 Buckwheat Sushi

## 준비할 재료 [2인분] 🌱

삶은 메밀국수 1컵(메밀국수 1뭉치; 2온즈/50g)
양념깻잎 6장 · 김 2장
삶은 아스파라가스 4개 · Osaki게맛살 4개
오이지 1개 · 참기름 2큰술
소금 ½작은술 · 볶음깨 1큰술

## 양념 간장 재료

간장 2큰술 · 설탕 ½큰술
무즙 1큰술 · 물 1큰술

## 이렇게 만드세요

1  메밀국수는 물을 넉넉히 붓고 참기름 1큰술을 넣고 반짝반짝하게 삶아놓은 뒤 참기름 1큰술에 비벼 놓는다.

2  김 한 장을 도마 위에 펴놓고 메밀국수 ½컵을 김 위에 쫙 펴놓는다. 양념깻잎 3장을 국수 위에 놓고 삶은 아스파라가스는 참기름 1큰술에 소금 ½작은술, 볶음깨 1큰술 넣고 조물조물 무친다. 깻잎 위에 아스파라가스 2개를 놓고 게맛살 2개를 올린다. 오이지도 길쭉하게 썰어 ½개를 올리고 돌돌 말아 1개 국수말이가 8피스가 되도록 썰어 접시에 담는다. 남은 김 한 장도 위의 방법대로 반복하여 만들고 먹을 때 양념간장을 찍어 먹는다.

## 영양상식

▶▶ 메밀 – 아미노산이 많이 들어있으며 다른 곡물에 비해 인, 비타민 B1, B2, D, 인산 등이 풍부한 것이 특징. 메밀에는 비타민 P의 일종인 루틴 성분이 있어 모세혈관을 튼튼하게 해주므로 고혈압, 동맥경화증 등의 각종 성인병 예방에 뚜렷한 효과를 발휘한다.

Buckwheat Sushi

## 2 Servings

## Ingredients

| | |
|---|---|
| 1 cup | cooked buckwheat noodles |
| 1 tbsp. | sesame oil |
| 4 spears | cooked asparagus |
| 1 tbsp. | sesame oil |
| ¾ tsp. | salt |
| 1 tbsp. | toasted sesame seeds |
| 2 sheets | sushi nori* |
| 6 | seasoned perrila leaves** (from a can) |
| 4 | imitation crab sticks (Osaki brand) |
| 1 | pickled cucumber, cut lengthwise |

## Dipping Sauce

| | |
|---|---|
| 2 tbsp. | soy sauce |
| ½ tbsp. | sugar |
| 1 tbsp. | radish juice |
| 1 tbsp. | water |

## Preparation & Presentation

Coat noodles with 1 tbsp. sesame oil and set aside. Repeat with asparagus, adding the sesame oil, salt and sesame seeds. Place a nori sheet on a bamboo sushi mat and top with half the noodles evenly distributed, except for 1 inch at the end of the sheet. Arrange 3 perilla leaves over noodles, place two asparagus spears in the center, flanked by two crab sticks and topped with 1 piece of pickled cucumber.

Carefully roll the nori like a jelly roll, using the mat to hold it neatly together.  Use a sharp thin knife, wet with water as needed, to cut the roll in 8 short pieces. Repeat with the second nori sheet and remaining ingredients.

Mix the dipping sauce ingredients and pour in a small bowl. Enjoy sushi dipped in sauce.

 * Available in Asian groceries.
** Available in Korean specialty grocery.

# 들깨국물과
# 5가지버섯 전골
## Five Mushroom &
## Perrila Hot Pot

## 준비할 재료 [4인분] 🌱

새송이버섯 ½컵(1온즈)　　느타리버섯 ½컵(1온즈)
팽이버섯 ½컵(1온즈)　　표고버섯 ½컵(1온즈)
목이버섯 ½컵(1온즈)　　국수곤약 1컵(3온즈)
대파 ½대　　　　　　　풋고추 2개
빨간 고추 2개　　　　　납작 썬 무 ½컵(1온즈)
양파 ½개　　　　　　　조랭이떡 1½컵(3온즈)

## 들깨국물 재료

닭국물(99% fat free 2 Can) 4컵　　물 1컵
다시마(큰 것) 1장　　　　　　　　불린 맵쌀 3큰술
들깨가루 3큰술　　　　　　　　　잣 3큰술
소금 1작은술　　　　　　　　　　간장 2큰술

## 이렇게 만드세요

1 닭국물과 물, 다시마를 넣고 끓여 식혀 놓는다.
2 믹서기에 "1"의 식힌 장국을 붓고 잣3큰술과 들깨가루 3큰술, 불린 맵쌀 3큰술을 넣고 곱게 간 뒤 간장 2큰술을 타 놓는다.
3 새송이버섯은 깨끗이 씻어 납작하게 썰어놓는다. 느타리버섯은 찢어놓고 팽이버섯은 밑둥을 잘라 씻어놓는다. 표고버섯은 충분히 불린 뒤에 기둥을 떼고 채 썰고 목이버섯도 충분히 물에 불린 뒤 깨끗이 다듬어 준비한다. 국수곤약도 씻어 물기를 빼 덤썩덤썩 썰고 대파와 양파도 덤썩덤썩 썰어놓는다. 풋고추와 빨간 고추는 반을 갈라 씨를 털어 썰어 놓고 무도 납작하게 썰어놓는다. 조랭이떡은 흐르는 물에 씻어 건져 물기를 빼놓는다. 동글납작한 냄비에 무와 양파를 밑에 깔아 5가지의 버섯을 색색이 돌려가면서 담는다. 중심부에 조랭이떡을 올리고 준비가 되면 만들어놓은 "2"의 들깨 쌀국물을 붓고 끓인다. 버섯은 끓는 물에 금방 익는데 거품이 뜨면 건어내고 한소큼 더 끓인 뒤 먹기 시작한다. 맛이 아주 구수하고 5가지 버섯이 들어있기 때문에 최고의 건강 영양식 전골이다.

## 영양상식

▶▶ 버섯 - 향긋한 맛과 향 때문에 널리 사랑받는 식품. 비타민D의 일종인 엘고스테린과 비타민 B2가 풍부하며, 독특한 감칠맛이 나는 구아닐산이 콜레스테롤 수치를 떨어뜨려 장수식품으로도 인기가 높다. 표고, 느타리, 팽이, 송이 등 종류에 따라 비타민 A를 제외한 대부분의 비타민이 골고루 들어있다.

## 4 Servings
## Ingredients
## Soup Base

| | |
|---|---|
| 4 cups | chicken stock or broth |
| 1 cup | water |
| 1 sheet | Kelp |
| 3 tbsp. | perrila seed powder** |
| 3 tbsp. | pine nuts |
| 3 tbsp. | rice, soaked in water 20-30 minutes, drained |
| 2 tbsp. | soy sauce |
| 1 tsp. | salt |
| 1 cup | yam noodles, strained, cut in 1-3 inch lengths |
| ½ | leek, well rinsed, cut in bite sizes |
| ½ | medium onion, sliced |
| ½ cup | Korean radish**, sliced in bite sizes |
| 2 | green chilies, seeded, cut in bite sizes |
| 2 | red chilies, seeded, cut in bite sizes |
| ½ cup | pine mushrooms, cut in bite sizes |
| ½ cup | oyster mushrooms, cut in bite sizes |
| ½ cup | straw mushrooms |
| ½ cup | dried black mushrooms, softened in warm water, cut in strips |
| ½ cup | woodear mushrooms, softened in warm water |
| ½ cup | Korean rice cake** (peanut shell shaped), rinsed, patted dry |

## Preparation & Presentation

Bring the stock, water and kelp to a boil, then allow to cool. Process this broth with perrila powder, pine nuts, rice, soy sauce and salt in a food processor or blender until smooth.
Cover the bottom of a shallow pot with the yam noodles, leeks, onions, radishes and chilies. Arrange the 5 varieties of mushrooms around the circumference of the pot and place the rice cake in the center. Pour broth over the rice cake and mushrooms and bring the soup to a boil. Serve and enjoy!

** Available in Korean specialty groceries.

*Five Mushroom & Perrila Hot Pot*

# 단호박, 고구마 요리
## Squash and Sweet Potato Croquettes

### 준비할 재료 🌱

삶아 으깬 단호박 1컵(8온즈, ½파운드)
삶아 으깬 한국 고구마 1컵(8온즈, ½파운드)
곱게 다진 게맛살 ½컵(osaki게살 3피스)
곱게 다진 양파 ¼컵(양파 ¼쪽)       아몬드가루 ¼컵
들깨가루 1큰술                        식용유 3큰술

### 이렇게 만드세요

1  얼은(frozen) 단호박은 토막(가로 2인치, 세로 3인치 정도, 12피스)
   을 내어 껍질을 벗기고 냄비에 물 ½컵을 부어 완전히 익힌 다음
   으깬다.(부드럽게 잘 뭉글어짐)
2  한국고구마(중간크기) 2개도 토막(10토막)을 내어 물 2컵에 삶아
   부드럽게 으깬다.
3  으깬 단호박과 고구마를 오목한 냄비에 담고 약한 불을 켠 뒤에 골
   고루 섞는다.
4  곱게 다진 게맛살과 곱게 다진 양파, 아몬드가루를 모두 "3"의 단
   호박과 고구마에 넣고 계속 약한 불에서 골고루 으깬다.
5  불을 끄고 식힌 뒤에 "4"의 섞어 놓은 것을 동글동글하고 조그맣게
   만들어 빚어놓는다.
6  후라이팬에 식용유 1큰술을 두르고 "5"의 빚어 만들어 놓은 것을
   지져 동글납작하게 구운 뒤에 보기좋게 접시에 담아낸다.

★ 간장, 소금, 설탕 등 조미료가 필요치 않음.
★ 단호박, 고구마의 어울림으로 맛이 담백한 건강식이 됨.

### 영양상식

▶▶ 고구마는 칼로리가 높고 칼륨이 풍부한 알카리성 식품으로 발육기
    어린이 간식으로 훌륭하다. 식물성 섬유가 가장 많이 들어있어 변
    비에 효과가 있고 수지성분이 있어서 배설을 촉진시킨다.

### Ingredients

| | |
|---|---|
| 8 oz. | sweet squash (butternut or similar), cooked and mashed |
| 8 oz. | potatoes, cooked and mashed |
| 3 | imitation crab sticks (Osake brand), finely chopped (about ½ cup) |
| ¼ cup | finely chopped onion |
| ¼ cup | almond powder |
| 1 tbsp. | perrila seed powder** |
| 3 tbsp. | cooking oil |

### Preparation & Presentation

Over medium heat, combine squash and potatoes, add crab sticks, onion, almond powder and perrila seed powder and mix until heated thoroughly.  Remove from heat.
When cool enough, make walnut sized balls from the mixture. Heat oil in a skillet and pan fry balls, flattening each a bit with a spatula or wooden spoon, until nicely browned.

### Note
▶▶ This dish requires no extra spices or seasonings.

Squash
and Sweet Potato Croquettes

# 버섯 콩나물 시금치 현미 김밥
## Brown Rice Sushi

### 준비할 재료 [4인분]

현미 2컵
종합버섯(표고, 송이, 느타리 등) ½컵(2온즈, 50g)
삶은 콩나물 ½컵(2온즈)(50g)    삶은 시금치 ½컵(2온즈, 50g)
참기름 3큰술                   소금 ¾작은술
볶음깨 3작은술                 김 4장

### 이렇게 만드세요

1 현미밥 짓기-현미 2컵, 물 2½컵, 참기름 1큰술을 밥솥에 같이 넣고 30분 정도 불렸다가 밥을 한다.(소요시간 35-40분)
2 종합버섯 ½컵은 참기름 1큰술, 소금 ¼작은술, 볶음깨 1작은술을 넣고 볶아놓는다.
3 삶은 콩나물 ½컵은 참기름 1큰술, 소금 ¼작은술, 볶음깨 1작은술을 넣고 무쳐놓는다.
4 삶은 시금치 ½컵도 참기름 1큰술, 소금 ¼작은술, 볶음깨 1작은술을 넣고 살살 무쳐놓는다.
5 김 한 장을 놓고 현미밥 1주걱을 김 위에 쫙 편 뒤에 버섯, 콩나물, 시금치를 위에 올리고 돌돌 말아 10피스로 잘라 접시에 담는다.

★ 식성에 따라 고추장을 밥에 발라 김말이를 해도 무방하며 김밥 속에 무말랭이나 깻잎 등을 식성에 맞게 넣어도 무방함.

### 영양상식

▶▶ 현미 – 비타민과 미네랄을 비롯한 각종 항암물질이 쌀눈에 다 모여있으며 현미밥만 꾸준히 먹어도 웬만한 영양분은 다 섭취할 수 있다.
콩나물– 싹이 돋고 줄기가 자라면서 비타민 C가 풍부해져서 건강 식품으로 뽑힌다.

## 4 Servings
### Ingredients

| | |
|---|---|
| 2 cups | Korean brown rice** |
| 2½ cups | water |
| 4 tbsp. | sesame oil (mixed use) |
| ½ cup | mixed mushrooms (packaged*) |
| ½ cup | cooked bean sprouts, liquid squeezed out |
| ½ cup | cooked spinach, liquid squeezed out |
| ¾ tsp. | salt (mixed use) |
| 3 tsp. | toasted sesame seeds (mixed use) |
| 4 sheets | seaweed (nori) |

### Preparation & Presentation

Soak rice in water and 1 tbsp. sesame oil in a rice cooker 30 minutes, then cook 35-40 minutes and allow to cool.
Heat 1 tbsp. sesame oil, stir fry mushrooms 3-4 minutes, season with ¼ tsp. salt and 1 tbsp. toasted sesame seeds. Repeat this process with cooked bean sprouts and with spinach. Cool completely.
Place a sheet of nori on a sushi bamboo mat or other flexible surface, use wet fingers to evenly spread on ¼ cup rice, top with ¼ each of the mushrooms, bean sprouts and spinach and, using the mat to help shape it, roll up like sushi or a jelly roll. Cut in 8-10 pieces. Repeat with remaining ingredients.

### Note

▶▶ Hot Korean bean paste**, seasoned dried radish** and/or seasoned perrila leaves can be added to taste. Korean brown rice is also called "health rice".

* Available in Asian groceries.
** Available in Korean specialty groceries.

Brown Rice Sushi

# 청포묵 채국  Mung Bean Gelatin Soup

## 준비할 재료 [4-5인분] 🌱

청포묵 가루(천연식품 100% 녹두 원료)  80g(3온즈)
곱게 채 썬 오이  1컵(피클오이 2개)
곱게 채 썬 로메인상추 1컵(상추 2장)
곱게 다진 파  1큰술                          물 4컵

### 국물내기 재료

물 6컵                                      국물내기 큰멸치 25마리
100% 멸치가루 2봉(5g each - tea bag style)
양파 ½쪽                                    대파(썰어) ½컵
다시마 1장(가로, 세로 3인치)                  맛소금 ½큰술
바닷소금 ½작은술

### 양념 재료

간장 1큰술                                   고춧가루  1큰술
볶은 흰깨  1큰술                             볶은 검은깨  1큰술
참기름  1큰술                                구운 김(부수어)  ¼컵

## 이렇게 만드세요

1 물 6컵에 국물내기 재료(멸치, 멸치가루, 양파, 대파, 다시마)를 넣고 물 6컵이 4컵이 될 때까지 다시국물을 만들어 식힌 후에 양파와 대파, 멸치는 꺼내버린다. 다시마는 꺼내어 곱게 채 썰어 두고, 식힌 다시국물에 맛소금 ½큰술, 바다소금 ½작은술을 넣는다.

2 청포묵 가루는 미지근한 물에 잘 풀어 판판한 냄비에 붓는다. 센 불에서 저어주다가 보글보글 끓기 시작하면 잘 젓다가 불을 끄고 판판한 그릇에 담는다. 3-4시간 정도 식혀 굳어지면 아주 곱고 가늘게 채 썰어둔다.(3½컵 정도)

3 오이와 로메인 상추는 곱게 채 썰고 파는 곱게 다져 놓는다.

4 만들어 놓은 국물에 양념 재료들을 잘 섞어서 넣은 뒤 채 썬 청포묵, 오이, 상추, 채 썬 다시마, 다진 파를 넣고 먹는다.

---

## 4-5 Servings
### Ingredients

| | |
|---|---|
| 3 oz. | mung bean powder** |
| 4 cups | water |

**Stock**

| | |
|---|---|
| 6 cups | water |
| 1 piece | kelp, 3 inches square |
| 26 | large dried anchovies* |
| 2 | dried anchovy powder "teabags" |
| ½ | medium onion, roughly chopped |
| ½ cup | spring onion or leek, roughly chopped |
| ½ tbsp. | Korean seasoned salt** (math-so-geum) |
| ½ tsp. | sea salt |

### Sauce

| | |
|---|---|
| 1 tbsp. | soy sauce |
| 1 tbsp. | hot chili powder |
| 1 tbsp. | toasted white sesame seeds |
| 1 tbsp. | toasted black sesame seeds |
| 1 tbsp. | sesame oil |
| ¼ cup | crumbled, toasted seaweed |
| 1 cup | pickling cucumber, cut in thin strips |
| 1 cup | thinly sliced romaine lettuce (about 2 leaves) |
| 1 tbsp. | finely chopped spring onion |

### Preparation & Presentation

In a pot, thoroughly mix the mung bean powder and 4 cups water, heat to boiling, remove from heat and pour into a flat square dish to cool and solidify, 3-4 hours.

Boil 6 cups water, add kelp, anchovies, anchovy powder bags, onions and spring onion (or leek) and cook 5 minutes. Strain the stock, and reserve only the kelp. Add seasoned salt and sea salt to stock and cool in refrigerator. Cut kelp in thin strips and set aside.

Mix sauce ingredients and pour into a small serving bowl.

When solid, cut mung bean gelatin in thin strips. To serve, put some gelatin in an individual bowl and arrange some cucumber, lettuce, kelp and chopped spring onions on top. Pour in just enough stock to cover the gelatin. At the table, add sauce to taste and enjoy!

\* Available in Asian groceries.

\*\* Available in Korean specialty groceries.

*Mung Bean Gelatin Soup*

# 잡곡밥 호박단지 Multigrain Rice in Pumpkin

## 준비할 재료 🌱

늙은 호박(작은 것, 둘레 20인치, 세로 6인치) 4파운드
찹쌀 1컵                            오행잡곡 ½컵
물 3컵                              소금 ¼작은술

## 이렇게 만드세요

1 호박을 찬물에 깨끗이 씻어 마른 타올로 물기를 깨끗이 닦은 후 호박꼭지 부분을 사방 4인치 크기로 칼로 잘 도려내고(나중에 뚜껑으로 사용)호박속의 씨를 숟가락으로 긁어낸다.
2 찹쌀 1컵+오행잡곡 ½컵+물 3컵+소금 ¼작은술을 넣고 밥을 짓는다. (소요시간 45분)
3 깨끗이 속을 뺀 호박 안에 찹쌀오행밥을 꼭꼭 눌러서 채운 뒤 도려낸 호박뚜껑을 덮고 찜통에 찐다. (찜통의 물이 끓고난 후부터 25-30분 지나면 다된다)

## 영양상식

▶▶ 호박 – 주성분은 당질이지만 비타민 A가 카로틴의 형태로 많이 들어있다. 식물성 섬유와 비타민 B1, B2, C, 칼슘, 철분, 인 등의 무기질이 균형있게 들어있고 몸을 따뜻하게 하는 작용이 있다. 식물성 섬유인 펙틴 성분이 이뇨작용을 도와 부기를 가라앉게 해준다. 산후 부기, 당뇨로 인한 부기에도 효과가 있다. 늙은 호박은 껍질이 단단하여 손을 다칠 염려가 있으므로 호박꼭지 위를 도려낼 때 조심하도록 한다.

## Ingredients

| | |
|---|---|
| 1 | pumpkin, aged, clean, about 4 lbs., 6 inches in diameter |
| 1 cup | glutinous rice, well washed |
| ½ cup | multigrain rice |
| 3 cups | water |
| ¼ tsp. | salt |

## Preparation & Presentation

Use a sharp knife to carefully cut the top part of the pumpkin to make a lid, about 4 inches in diameter, leaving the stem as a handle. Scoop out the seeds and pulp from inside the pumpkin. Combine the remaining ingredients and cook in a rice cooker about 45 minutes. Stuff the cooked rice in the pumpkin, gently patting it down. Put the lid on and place the pumpkin in a larger steamer for 25-30 minutes.
Enjoy the pleasing flavor of this rice and pumpkin combination.

*Multigrain Rice in Pumpkin*

# 무초선말이 Radish Rolls

## 준비할 재료 [4인분] 🌱

중간 무 1개
식초 1컵
소금 1큰술
게맛살(곱게 찢어) 1½컵
당근(채 썰어) ½컵
통마늘과 생강(곱게 채 썰어) ⅛컵
불린 표고버섯(큰 표고버섯을 10개쯤 채 썰어) 1컵

물 2컵
설탕 1½컵
한국배 1개
미나리 20줄기

## 이렇게 만드세요

1 무는 껍질을 벗기고 생긴대로 동글동글 아주 얇게 썰어 물2컵, 식초 1컵, 설탕 1½컵, 소금 1큰술에 담가둔다.
2 배는 껍질을 벗겨 채 썰고 당근도 껍질을 벗겨 채 썬다. 미나리는 무길이와 맞춰 썰어놓고 게맛살은 곱게 찢어놓는다. 불린 표고버섯도 채 썰어놓고 통마늘과 생강도 아주 곱게 채 썰어 준비한다.
3 "1"의 무가 숨이 죽으면 꼭 짠 뒤에 한 장 한 장 김밥 싸듯이 놓고 배채, 게맛살, 당근채, 미나리, 표고버섯채, 통마늘 생강채를 차곡차곡 놓고 돌돌 말아 낸다.

★ 수분이 많은 무와 배로 만든 요리는 입맛을 돋구어주고 시원한 맛을 주므로 손님 접대용으로 아주 깔끔한 음식이다.

## Preparation & Presentation

Use a hand slicer to shave radish slices as long and wide as possible and about ⅛ inch thick. Mix vinegar, water, sugar and salt and pour over radish slices. Let stand until slices are flexible enough to roll, then pat dry each radish slice.

Place a radish slice on a work surface, top with a little, pear, celery, carrot, crab, mushroom, garlic and ginger and roll up like sushi or a jelly roll. Repeat with remaining ingredients. Cut any large rolls in half or in bite sizes, place on a platter and serve as fancy appetizers when entertaining.

\* Available in Asian groceries.
\*\* Available in Korean specialty groceries.

## 4 Servings

### Ingredients

| | |
|---|---|
| 1 | medium Korean radish\*\* (moo), peeled |
| 1 cup | vinegar |
| 2 cups | water |
| 1½ cups | sugar |
| 1 tsp. | salt |
| 1 | Asian pear, peeled, cored, cut in thin strips |
| 20 | Chinese celery\* (mi-na-ree) stalks, cut in thin strips |
| 1 | carrot, peeled, cut in thin strips |
| 1½ cups | imitation crab sticks, shredded |
| 10 | dried black mushrooms\*\*, softened in warm water, cut in strips |
| ⅛ cup | garlic cloves, cut in thin strips |
| ⅛ cup | ginger, cut in thin strips |

*Radish Rolls*

궁중요리
Well &
-Being

▶▶ Part 5

# 수삼과 배, 딸기, 밤 무침
## Fruit Salad with Fresh Ginseng

## 준비할 재료 [3-4인분]

수삼 3뿌리(납작 썰어) 1컵　　　한국배 1개
딸기 10개　　　　　　　　　　　양념된 맛밤 10개
Can 만다린 오렌지(11온즈)　　　무순 2큰술
물 1½컵　　　　　　　　　　　　설탕 3큰술
레몬즙 1큰술　　　　　　　　　　소금 ¼작은술

## 이렇게 만드세요

1  수삼은 뿌리의 잔털을 잘라내고 껍질을 벗겨 납작납작 손가락 둘째 마디 정도의 길이로 얇게 썬 뒤 물1½컵과 설탕 3큰술에 담가둔 다. 하룻동안 냉장고에 보관한다.(수삼의 벗긴 껍질은 버리지말고 달여 먹을 수 있으므로 남겨둔다)
2  배는 껍질을 벗기고 속을 빼고 납작납작 썰어놓고 딸기는 꼭지를 따고 깨끗이 씻어 납작하게 썰어 둔다.
3  맛밤은 1개를 2쪽 되게 썰어 20쪽으로 썰어 둔다.
4  Can 만다린 오렌지는 물기를 빼고 준비한다.
5  무순은 식성에 따라 쓰도록 하며 뿌리를 싹둑 잘라 ½컵 준비한다.
6  배와 수삼, 두 가지만 먼저 100%레몬즙 1큰술에 소금 ¼작은술을 넣고 무친다음 납작한 접시에 배와 수삼을 한켜 간다. 그 위에 딸기, 맛밤, 만다린 오렌지를 골고루 얹고 다시 수삼과 배를 놓은 뒤 그 위에 다시 딸기, 맛밤, 만다린 오렌지를 얹는다. 3번 정도 반복 하여 골고루 자연스럽게 잘 얹은 다음 맨 위에 무순을 파릇파릇하 게 뿌린다.
7  먹을 때 각자 작은 접시에 덜어 먹는다. 싱그러운 과일 향기와 약 간 쓴듯한 수삼의 아리한 맛이 일품이며, 술안주로 좋고 전식으로 입맛을 돋구는데 도움이 된다.

## 영양상식

▶▶ 수삼 - 강장제, 보약제
　　딸기 - 철분의 흡수를 촉진시키고 비타민 C의 함량이 높다.
　　레몬 - 구연산 성분이 있어, 운동 후 피로를 풀어주고 비타민 C의 대명사이다. 고혈압, 심장병, 신장병 환자에게 좋다.
　　밤 - 피로회복에 좋고 주성분은 당질이며 포도당과 과당이 많아 단맛이 강하고 비타민 등 영양분이 풍부하여 노약자, 유아에 게 좋은 건과류이다.
　　배 - 변비와 배뇨에 좋다고 알려졌으며, 성분의 80%가 수분이다. 알카리성 식품이며 기침, 가래를 다스린다.

## 3-4 Servings
### Ingredients

| | |
|---|---|
| 1 cup | fresh ginseng root** (about 3 roots) |
| 1½ cups | water |
| 3 tbsp. | sugar |
| 1 | Asian pear, peeled, cored and sliced |
| 1 tbsp. | lemon juice |
| ¼ tsp. | salt |
| 10 | strawberries, sliced |
| 10 | sweetened, soft chestnuts**, each cut in half |
| 11 oz. | canned mandarin orange sections, drained |
| 2 tbsp. | radish sprouts*, leaves only, for garnish |

### Preparation & Presentation

Peel ginseng and slice (save the skins for another use). Mix water and sugar, pour over ginseng and refrigerate 1 day.
Drain ginseng and sprinkle it and pears with lemon juice, then salt.
In a serving bowl, put ⅓ of the ginseng-pear mix on the bottom, add a ⅓ each of strawberries, chestnuts and oranges. Repeat the layering process 2 more times. Garnish with radish leaves and serve as an appetizer or with sake.

### Note
▶▶ The sweetness from the fruit and chestnuts helps one appreciate the ginseng's slight bitterness.

\* Available in Asian groceries.
\*\* Available in Korean specialty groceries.

# 달래와 배 생채 Ramp Salad

## 준비할 재료

달래 250g(9온즈)　　　맛밤 10개
피클오이 2개　　　　　배 1개

## 양념장 재료

고추장 ½큰술　　　　　굵은 고춧가루 ½큰술
고운 고춧가루 ½큰술　　참기름 2큰술
볶은 깨 2큰술　　　　　식초 1큰술
잣 2큰술　　　　　　　맛소금 ¼작은술

## 이렇게 만드세요

1　달래는 뿌리쪽을 완전히 긁어낸 뒤 뿌리의 동그랗게 튀어나온 부분을 칼편으로 누르고 깨끗이 씻은 다음 먹기 좋도록 길이 1인치 정도로 썰어둔다.

2　오이는 반으로 잘라 1인치 길이로 납작납작 편썰어놓고 맛밤(양념된 달콤한 밤) 10개는 반으로 잘라 20개 준비한다. 배도 오이와 같은 모양으로 납작하게 썰어 준비한다.

3　깨끗하고 납작한 접시 맨 밑에 배와 오이를 하나씩 번갈아 가면서 쫙 깔고 한가운데 밤과 달래를 소복하게 놓고 상에 낸다.

4　먹기 직전에 양념장 재료를 골고루 잘 섞어 달래와 배, 오이, 밤을 넣고 살살 무친 뒤에 먹는다.

★ 달래는 파, 마늘과 맛이 비슷하므로 파와 마늘은 쓰지 않는다. 고운 고춧가루와 굵은 고춧가루를 함께 쓰는 이유는 굵은 고춧가루만 쓰면 음식의 품위가 떨어지고 생채가 너무 거칠 염려가 있어 고운 고춧가루와 섞어서 같이 쓰면 좋다.

★ 달래의 끝 동그란 부분을 칼편으로 누르는 것은 달래의 매운 맛을 줄이기 위함이다.

## 영양상식

▶▶ 달래 – 무기질과 비타민이 골고루 들어있어 빈혈을 없애주고 간장작용을 도와주며 동맥경화를 예방한다. 달래에 들어있는 비타민 C는 열에 쉽게 파괴되므로 날것으로 먹는 것이 최상이다.

## Ingredients

| | |
|---|---|
| 9 oz. | ramps, well cleaned |
| 2 | pickling cucumbers, sliced in sizes to match the pears |
| 1 | Asian pear, peeled, cored and sliced |
| 10 | sweetened, soft chestnuts (comes in a package), halved |

Dressing

| | |
|---|---|
| ½ tbsp. | Korean chili paste** |
| ½ tbsp. | coarse Korean hot chili powder** |
| ½ tbsp. | fine Korean chili powder** |
| 2 tbsp. | sesame oil |
| 2 tbsp. | toasted sesame seeds |
| 1 tbsp. | vinegar |
| 2 tbsp. | pine nuts |
| ¼ tsp. | Korean seasoned salt** (math-so-geum) |

## Preparation & Presentation

Use the side of a knife to gently flatten the roots of the ramps, releasing the flavor, and cut in 1 inch lengths. Mix dressing ingredients and pour in a small serving bowl.
On a serving platter, alternate pear and cucumber slices around the perimeter and arrange the ramps and chestnuts in the center. At the table, toss the salad and dressing just before serving.

### Note

▶▶ The flavor of ramps, also called wild onions, falls somewhere between onions and garlic and is pungent enough to make garlic and onion unnecessary. The combination of fine chili powder and coarse balances the taste and appearance of this salad.

** Available in Korean specialty groceries.

Ramp Salad

# 토란국 Taro Root Soup

## 준비할 재료 [4인분] 🌱

토란(껍질 벗긴) 16온즈(454g, 17-18개 정도)
소고기 16온즈(1파운드)　　　무(중간무 ½개)
납작 썬 송이버섯 1컵　　　　파 3뿌리
감초뿌리 1조각　　　　　　　대파 ⅓컵
다시마 4장(가로 5인치, 세로 7인치) 물 8컵
소금 ⅓큰술　　　　　　　　　달걀 1개

## 국 양념재료

곱게 간 마늘 1큰술　　　　　흰 후추 ½작은술
소금마늘가루 ½큰술

## 이렇게 만드세요

1  먼저 껍질 벗긴 토란을 물 3컵에 소금 ½큰술과 넣고 30분 이상 담가두었다가 담궈뒀던 물과 함께 토란이 익을 때까지 삶는다. 젓가락으로 찔러보고 무르게 들어가면 찬물에 헹구어 토란알만 준비해 둔다.

2  물 8컵에 소고기 살코기 1파운드를 큼직큼직 썰어 넣고 무 ½개는 껍질을 벗겨 큼직하게 썰어넣는다. 다시마도 깨끗이 닦고 고기와 무와 같이 넣고 끓인다. 이때 감초뿌리 1조각도 같이 넣어 고기가 익을 때까지 끓인다. 대파 ⅓컵도 넣고 끓인다.

3  고기와 무가 다 익으면 다시마를 꺼내어 채 썰거나 납작하게 먹기 좋도록 썰어 국물에 다시 넣고 감초뿌리와 익은 대파는 버린다.

4  국물에 파를 큼직큼직하게 썰어넣고 납작 썬 송이버섯도 넣고 한번 더 끓인 뒤에 국양념, 곱게 간 마늘 1큰술과 흰 후추 ½작은술, 소금마늘가루 ½큰술을 넣고 맛을 보면 국물이 시원하고 맑은 국이 된다. 그 다음에 삶아 건져 놓은 토란을 국에 넣고 한소끔 더 끓인 뒤에 상에 낸다.

5  달걀 1개를 잘 풀어 지단을 부치고 채를 썰어 위에 고명으로 올린다.

★ 토란국은 국물이 맑고 깨끗하고 아리지 않아야 한다.
★ 토란은 소금물에 푹 삶아 찬물에 헹구어야 된다.
★ 동양식품점에 가면 껍질을 벗겨 냉동시킨 토란이 있는데 아주 간편하고 깨끗하다.
★ 껍질이 있는 좋은 토란을 고르려면 진흙이 붙어있고 적절한 습기가 있으며 진한 갈색으로 상처가 없는것이 좋다. 진흙이 붙은 것은 진흙이 붙어있는 채로 냉장고에 보관한다. 요리에 쓸 때에는 토란을 쌀뜨물에 담가두었다가 껍질을 두껍게 깎아내어 식초물에 담궈 빛깔이 변하지 않게 하고 아리지 않게 삶아낸다.

## 영양상식

▶▶ 토란은 주성분이 당질과 단백질인데 비해 전분, 점액은 "갈락탐"이라고 하는 탄수화물과 단백질이 결합한 것이다. 비타민 B1, B2, 섬유소, 칼륨 등의 영양분이 들어있으며, 칼륨은 감자류 중에서 가장 많고 섬유도 충분히 많아 배변을 좋게하는 효과가 있다.

## 4 Servings

### Ingredients

| | |
|---|---|
| 1 lb. | frozen taro root or fresh taro (see Note) |
| 3 cups | water |
| ½ tbsp. | salt |
| 8 cups | water |
| 1 lb. | lean beef, cut in large bite sizes |
| ½ | medium Korean radish (moo**), cut in bite sizes |
| 4 | kelp sheets, each 5 x 7 inches, well rinsed |
| 1 slice | licorice root |
| ⅓ cup | leek, cut in 3 inch lengths |
| 3 | spring onions, cut in 2 inch lengths |
| 1 cup | button mushrooms, sliced |

### Seasoning

| | |
|---|---|
| 1 tbsp. | finely minced garlic |
| ½ tbsp. | garlic salt |
| ½ tsp. | white pepper |
| 1 | egg, lightly beaten |

### Preparation & Presentation

Boil taro root in 3 cups water and ½ tsp. salt 30 minutes or until soft when probed with a chopstick or end of a wooden spoon. Remove taro and rinse once.
Bring 8 cups water to boil, add beef, radish, kelp, licorice root and leeks and cook until beef is done.
Remove and discard licorice root and leeks. Remove beef, radish and kelp, slice into smaller bite sizes and return to soup. Add spring onions, mushrooms, seasonings and taro root. The soup boils, it is ready to serve.
Heat a skillet, make a very thin pancake with the egg, cool and cut in strips for garnish (can be done ahead).
Serve soup in individual bowls garnished with strips of egg and enjoy.

### Note

▶▶ If buying fresh taro root, look for unwashed, firm and fresh appearing, rather than dried out, roots. Soak 30 minutes in water leftover from rinsing rice. Peel the thick outer layer from the root and leave submerged in water with a little bit of white vinegar to prevent discoloration.

** Available in Korean specialty grocery.

Taro Root Soup

# 얼갈이 배추 생채 Instant Napa Cabbage Salad

## 준비할 재료 🌱

얼갈이 배추(덤썩덤썩 썰어)  200g(2½컵, 7온즈)
중간크기 사과 1개　　　　　　피클오이 1개
당근 꽃뜨기　5개　　　　　　오징어액젓(타일랜드제품) 2큰술

## 양념장 재료

송송 썬 풋고추 ⅓컵　　　　곱게 다진 마늘 1큰술
고춧가루 2큰술　　　　　　깨소금 2큰술
참기름 2큰술　　　　　　　설탕 1큰술
Splenda 1큰술

## 이렇게 만드세요

1 얼갈이 배추는 잘 손질한 다음 1½인치 길이로 썰어 씻어 물기를 뺀 뒤에 오징어액젓을 넣고 절인다.
2 배추에 숨이 죽고나면 절였던 오징어액젓을 따라 내어 여기에 양념장 재료를 분량대로 모두 넣고 잘 섞어 양념장을 만들어 놓는다.
3 사과와 오이는 납작하게 썰어 놓고 당근은 껍질을 벗겨 얇게 썰어 꽃모양틀로 찍어놓는다.
4 넓은 그릇에 준비한 배추와 사과, 오이, 꽃모양의 당근을 담고 만들어 놓은 양념장을 다 넣고 살살 무쳐 상에 낸다.

★ 산뜻하게 무쳐내는 생채는 입맛이 없을 때 뜨거운 밥에 곁들이면 다른 반찬이 필요없을 정도로 입맛을 돋운다.
★ 얼갈이 배추를 절일 때는 오징어액젓을 사용하면 소금으로 절이는 것보다는 더 감칠맛이 난다. 그리고 양념장을 만들 때도 배추 절인 데서 남은 액젓을 사용하면 더 맛있는 생채가 된다.
★ 생채는 양식의 샐러드와 비슷한 느낌으로 너무 짜거나 맵지않고 약간 심심하게 무쳐내는 것이 요령이다.

## Ingredients

2 tbsp.　　squid sauce (Thai)*
½ lb.　　　Napa cabbage, young, cut in 2 inch lengths
　　　　　(about 2½ cups)

## Dressing

⅓ cup　　hot green chili, seeds removed, chopped
1 tbsp.　　finely minced garlic
2 tbsp.　　hot Korean chili powder**
2 tbsp.　　toasted sesame seeds
1 tbsp.　　sugar
2 tbsp.　　sesame oil
1 tbsp.　　sweetener (Splenda)

1　　　　　pickling cucumber, sliced
1　　　　　medium apple, peeled, cored and sliced
5　　　　　carrot flowers for garnish

## Preparation & Presentation

Sprinkle squid sauce over cabbage, let wilt, then squeeze out and reserve the liquid.
Mix dressing ingredients with the cabbage liquid, add cabbage, cucumber, apples and carrots.
Combine thoroughly by hand.  Serve as an appetite wetting side dish.

### Note

▶▶ The use of squid sauce instead of salt creates better flavor with less saltiness and makes this dish more like salad than kimchi.

* Available in Asian groceries.
** Available in Korean specialty groceries.

# 비지미 김치 Provincial Radish Kimchi

## 준비할 재료 🌱

무(중간크기) 2개
스플랜다 ⅓컵

바닷소금 1큰술
미나리(썰어) 1컵

### 양념재료

고춧가루 ⅓컵
곱게 다진 마늘 2큰술
새우액젓(타일랜드제품) ⅓컵
통깨(흰색, 검은색 섞어) ⅓컵
찹쌀가루 1큰술+물 1컵

맵지않은 고운 고춧가루 ⅓컵
곱게 다진 생강 1큰술
설탕 2큰술
잣 3큰술

### 이렇게 만드세요

1 무는 깨끗이 씻어 껍질을 얇게 벗긴 후 이리저리 돌려가며 비져 크고 두께가 약간 도톰하도록 가로 2인치, 세로 2⅓인치 정도로 썬 뒤 바닷소금 1큰술과 설탕 대용인 스플랜다 ⅓컵을 섞은 것에 살짝 절인다.(2시간 정도)
2 절였던 무를 찬물에 한번 헹군 뒤 고춧가루와 맵지않은 고춧가루를 섞어 무에 물들인다.
3 찹쌀가루 1큰술에 물 1컵을 넣고 찹쌀풀을 끓인 후 식힌다.
4 고춧가루를 물들인 무에 찹쌀풀과 양념재료들을 모두 넣고 5분 정도 골고루 버무린다. 미나리도 넣는다.
5 꼭꼭 눌러 병에 담고 밖에서 하룻밤 재운 뒤 어느 정도 익으면 냉장고에서 익힌다.

★ 비지미는 불규칙적으로 큼직큼직하게 썬 경상도식 깍두기이다. 어숫어숫 삼각지게 비져 썰어서 아주 먹음직스럽다.

## Ingredients

| | |
|---|---|
| 2 | medium Korean radishes (moo**), peeled |
| 1 tbsp. | sea salt |
| ⅓ cup | sweetener (Splenda) |
| ⅓ cup | Korean hot chili powder** |
| ⅓ cup | Korean paprika powder** |
| 1 tbsp. | glutinous rice powder |
| 1 cup | water |

## Seasoning

| | |
|---|---|
| 2 tbsp. | finely minced garlic |
| 1 tbsp. | finely minced ginger |
| ⅓ cup | shrimp sauce (Thai)** |
| 2 tbsp. | sugar |
| ⅓ cup | toasted black and white sesame seeds |
| 3 tbsp. | pine nuts |
| | |
| 1 cup | Chinese celery, 1 inch pieces |

## Preparation & Presentation

Cut the peeled radishes in irregular, triangular shapes, each about 2-2 ½ inches across and ½ inch thick. Sprinkle salt and sweetener over the radishes, let stand 2 hours, then rinse once. Sprinkle the hot chili and the paprika powders over the radishes and gently mix until radishes are tinted red.
In a saucepan, mix the rice powder with the water, bring to a boil and let cool. Add the seasoning ingredients and stir.
Add this sauce to the radishes and mix until radishes are thoroughly coated. Add the celery and pour the mixture into a glass bottle.  Press down gently, then tightly cover the bottle.
Leave the bottle at room temperature 1 day, then store in the refrigerator until slowly fermented to taste, usually in 2-3 days.

### Note
▶▶ This kimchi originated in the Kyung-Sahng Province and is called vi-jee-mi kimchi, which means to cut irregular, triangular shapes.

\* Available in Asian groceries.
\*\* Available in Korean specialty groceries.

*Fried Tofu Salad with Mustard Dressing*

# 유부 콩나물 겨자채
## Fried Tofu Salad with Mustard Dressing

### 준비할 재료 [2인분] 🌱

콩나물 250g(머리, 꼬리 따고 줄기만 3컵, 9온즈)
씨 없는 긴오이 ½개(피클오이일 경우 2개)
유부 4장                         실파 4뿌리
피망 ½개

### 양념겨자초장 재료

sweet mustard(겨자) 1큰술           간장 1큰술
설탕 1½큰술                         참기름 2큰술
식초 1큰술                          소금 ¼작은술

### 이렇게 만드세요

1 유부는 곱게 채 썰어 끓는 물에 데친 뒤 찬물에 헹구어 물기를 꼭
  짜놓는다.
2 콩나물은 머리와 꼬리를 다듬어 씻어 건져서 찜통에 쪄놓고 실파
  4뿌리는 1인치 길이로 썰어 놓는다. 피망은 씨를 털어 곱게 채 썰
  어 놓고 오이도 곱게 채 썰어 놓는다.
3 재료 준비가 다 되면 유부, 콩나물, 실파, 피망, 오이(색깔이 아주 고
  운 가을색이다)를 오목한 그릇에 담고 잘 혼합한 양념겨자초장을
  뿌려서 살살 버무리고 새콤달콤하게 무친 뒤 상에 낸다. 흔한 재료
  를 가지고 특수한 맛을 내게 된다.

### 영양상식

▶▶ 콩나물은 비타민과 단백질이 풍부하며 몸 안에 있는 알콜을 분해
   시켜 몸밖으로 내보내는 역할을 하므로 비만방지, 빈혈, 스트레스,
   거친 피부, 피로회복, 변비를 비롯한 통풍 등의 성인병 예방에도
   좋은 효과를 낸다.

## 2 Servings
### Ingredients

| | |
|---|---|
| 4 pieces | fried tofu (yubu*) |
| 3 cups | soybean sprouts* (see Note) |

### Dressing

| | |
|---|---|
| 1 tbsp. | hot (Chinese) mustard* |
| 1 tbsp. | soy sauce |
| 2 tbsp. | sesame oil |
| 1 tbsp. | rice vinegar |
| 1½ tbsp. | sugar |
| ¼ tsp. | salt |
| 4 | spring onions, cut in 1 inch pieces |
| 1 | red bell pepper, cut in thin strips |
| 2 | small pickling cucumbers, cut in strips |

### Preparation & Presentation

Blanch fried tofu in boiling water 5-10 seconds, then plunge into
cold water. Squeeze out excess water and cut in thin strips. Steam
soybean sprouts in steamer 6-8 minutes, then allow to cool.
Mix dressing ingredients together.
Artfully arrange tofu, soybean sprouts, spring onions, red bell
pepper and cucumber, keeping each separate, on a platter. At the
table, gently toss with dressing.

### Note
▶▶ In Korea, the yellowish heads and hair-like roots of soybean
   sprouts are trimmed and discarded.

✳✳ Available in Asian groceries.

# 연근 조림 Braised Water Lily Roots

### 준비할 재료 [2-3인분]

깨끗이 손질된 연근(1파운드) 454g
물 5컵
베이킹소다 1½작은술
식초 ¼컵
잣가루 2큰술

### 조림간장 재료

물 ½컵
참기름 ¼컵
흑설탕 1큰술
생강즙 2큰술
진간장 ¼컵
적포도주 1큰술
요리당물엿 ¼컵

### 이렇게 만드세요

1 물 5컵, 식초 ¼컵, 베이킹소다 ½작은술을 잘 혼합하여 깨끗이 손질된 연근을 담가둔다.
2 1시간 지난 뒤 연근을 담갔던 물은 다 버리고 연근을 깨끗이 헹군 뒤 베이킹소다 1작은술을 넣고 연근이 잠기도록 물을 넣고 연해질 때까지 20분 정도 끓인다.
3 연근이 아주 연해지면 찬물에 헹군 뒤 물기를 빼둔다.
4 조림간장을 만든다. 물 ½컵, 진간장 ¼컵, 참기름 ¼컵, 적포도주 1큰술, 흑설탕 1큰술, 요리당물엿 ¼컵, 생강즙 2큰술을 한데 섞어 거품이 날 때까지 끓이다가 연근을 넣고 10분 정도 더 졸이다가 국물이 자작할 때 불을 끈다. 잣가루를 뿌려 상에 낸다.

### 영양상식

▶▶ 연근 – 아삭아삭 씹히는 맛이 좋고 녹말과 섬유질이 주성분이며 철분과 비타민 B12가 풍부해 조혈작용을 돕고 타닌성분이 들어있어 떫은 맛이 난다. 쉽게 변색되는 특성이 있으므로 식초물에 담갔다가 조리한다. 연근의 식물성 섬유는 장벽을 자극하여 장내 활동을 활발히 해주며 콜레스테롤 치를 떨어뜨리는 작용을 한다.

### 2-3 Servings

### Ingredients

| | |
|---|---|
| 1 lb. | water lily roots*, ready to use (packaged in plastic bag) |
| 5 cups | water |
| ¼ cup | vinegar |
| ½ tsp. | baking soda |
| 5 cups | water |
| 1 tsp. | baking soda |

### Sauce

| | |
|---|---|
| ½ cup | water |
| ¼ cup | dark soy sauce |
| ¼ cup | sesame oil |
| 1 tbsp. | wine |
| ¼ cup | corn syrup |
| 1 tbsp. | brown sugar |
| 2 tbsp. | ginger juice |
| | |
| 2 tbsp. | crushed pine nuts, as garnish |

### Preparation & Presentation

Slice water lily roots and soak 1 hour in 5 cups water and vinegar mixed with ½ tsp. baking soda.
Rinse roots and cook in sauce pan with 5 cups water and 1 tsp. baking powder until very tender, about 20 minutes. Rinse roots again.
Mix sauce ingredients. Cook roots in sauce over medium heat until froth appears. Remove froth with spoon and cook 10 more minutes or until the liquid is almost gone.
Serve with pine nuts sprinkled over the top.

** Available in Asian groceries.

Braised Water Lily Roots

# 감자 버섯 수제비 Potato Dumpling Soup

## 준비할 재료 [2인분] 🌱

### 수제비 재료

삶아서 식힌 후 곱게 으깬 감자 150g(5온즈)
(감자는 뜨거울 때 으깨면 곱게 됨)

| | |
|---|---|
| 밀가루 100g(1컵, 4온즈) | 식용유 3큰술 |
| 녹말가루 50g(½컵, 2온즈) | 소금 ½작은술 |
| 달걀 1개 | |

### 야채 재료

| | |
|---|---|
| 팽이버섯 100g(3.5온즈) | 쑥갓 2줄기 |
| 바지락조갯살 200g(7온즈) | 새송이 2개 |

### 국물 재료

| | |
|---|---|
| 다시멸치 200g(7온즈) | 다시마 200g(7온즈) |
| 물 6컵 | 맛내기 국간장 2큰술 |
| 소금마늘가루 ½작은술 | 양파 1개(½로 나누기) |

## 이렇게 만드세요

1 수제비 재료들을 다 같이 합하여 물 ½컵을 부어가면서 반죽이 반짝반짝할 때까지 골고루 치댄다. 물이 더 필요하면 조금씩 조심성 있게, 너무 질지않고 손에 붙지 않도록 녹말 가루를 묻혀 반죽한다.

2 표면이 매끈해질 때까지 반죽한 뒤에 비닐주머니에 넣고 1~2시간 이상 냉장고에 넣어 숙성시켜 사용하면 더욱 쫄깃쫄깃하게 된다.

3 소스국물은 국물 재료들을 끓이기 전에 모두 합하여 1시간쯤 우려낸다. 그 다음 우려낸 국물에 다시마, 멸치, 양파가 들어있는 그대로 끓인다. 끓고부터 3분 정도 지나서 국물이 다 되면 멸치, 양파는 버리고 다시마는 건져서 곱게 채 썰어 놓는다.

4 다시국물이 완성된 뒤에 다시 끓이면서 해감시킨 바지락조갯살(소금1작은술+물4컵)에 1시간 이상 담갔다가 깨끗이 씻은 뒤 다진 마늘(1큰술), 어슷어슷하게 썬 대파 2큰술을 넣고 수제비를 떠 넣는다. 수제비 반죽을 긴 막대 모양으로 빚어 한 입 크기로 얇게 썰어 국물이 끓고 있을 때 넣어 감자수제비가 위로 동동 떠오르면 그때 팽이버섯을 준비했다가 밑둥을 잘라 내고 넣는다. 새송이버섯도 납작하게 썰어 넣고 맨 마지막에 국그릇에 담기 전에 쑥갓과 썰어놓은 다시마를 위에 올린다.

## 영양상식

▶▶ 탄수화물이 주성분인 알카리성 식품인 감자에 들어있는 비타민 C는 푸른잎 채소에 비해 삶아도 파괴되지 않는 것이 특징이다. 나트륨을 배출하는 작용을 하므로 고혈압의 예방과 치료에 효과가 있으며 날감자를 갈아서 만든 즙이나 감자수프를 꾸준히 먹으면 고혈압, 위궤양, 신장병에 의한 부기에 효과가 있으며 식물성 섬유의 일종인 펙틴이 들어있어 변비치료에도 좋다.

## 2 Servings

### Ingredients

| | |
|---|---|
| ⅔ cup | mashed potatoes only (no peels or seasonings) |
| 1 cup | flour |
| ½ cup | water |
| 3 tbsp. | cooking oil |
| ½ tsp. | salt |
| 1 | egg |
| ½ cup | cornstarch for dusting |

### Stock

| | |
|---|---|
| 6 cups | water |
| 7 oz. | dried stock anchovies** |
| 7 oz. | dried kelp* |
| ½ | medium onion, cut in chunks |
| 2 tbsp. | seasoned soup soy sauce** |
| ½ tsp. | garlic salt |
| | |
| 7 oz. | frozen baby clams, thawed |
| 1 tbsp. | minced garlic |
| 2 tbsp. | leek, in ¼ inch slices |
| 3½ oz. | straw mushrooms, from can*, drained well |
| 2 | medium pine mushrooms (AKA king oyster mushrooms) |
| 3 | edible chrysanthemum** leaves only, for garnish |

### Preparation & Presentation

Combine mashed potato, flour, water, cooking oil, salt and egg to make a soft dough. Dust hands and board with cornstarch, knead dough a couple minutes, then wrap in plastic and refrigerate 1-2 hours.

Mix the stock ingredients in a pot and let stand 1 hour. Boil stock, strain and reserve broth for soup.

Reserve kelp and cut in strips for later use.

Boil broth, add clams, garlic and leek. Hold chilled dough and tear off small bite size pieces, press to flatten slightly with thumb, and drop into soup. When dumplings float to surface, add mushrooms.

Ladle soup into individual serving bowls, add some kelp strips, garnish with chrysanthemum leaves and enjoy.

\* Available in Asian groceries.

\*\* Available in Korean specialty groceries.

Potato Dumpling Soup

# 모듬 씨앗 쌈된장 Seasoned Paste, A Variation

## 준비할 재료 🌱

된장 2큰술  
설탕 3큰술  
참기름 3큰술  
다진 호박씨 3큰술  
다진 잣 3큰술  

고추장 2큰술  
물엿 3큰술  
볶은 깨 3큰술  
해바라기 씨앗 3큰술  
다진 아몬드(Almond) 3큰술  

## 이렇게 만드세요

1 모든 재료들을 다같이 넣고 골고루 잘 저은 후에 쌈장으로 쓴다. 씨앗들의 씹히는 맛이 아주 고소하고 일품이다.

## 영양상식

▶▶ 해바라기씨 – 고혈압, 동맥경화, 심장병 등 각종 성인병에 효과.  
　　호박씨 – 단백질, 지방, 비타민B1, 칼슘, 인의 함량이 뛰어나고 기억  
　　　　　력을 증진시키고, 혈중 콜레스테롤치를 떨어뜨리는 효과.  
　　아몬드 – 단백질, 지방의 함량이 높고 조금만 먹어도 체내에 높은  
　　　　　영양과 열량을 공급하여 피로회복에 도움. 칼슘이나 철  
　　　　　이 특히 풍부하며 스트레스를 받는 사람은 물론 빈혈증  
　　　　　세가 있는 사람에게도 효과가 있음.  
　　잣 – 미용효과, 체내에 남아있는 칼로리를 소비시켜 장기의 부담  
　　　　을 없애며 비만을 개선함. 입맛을 돋우워 주며 특히 자궁을  
　　　　튼튼하게 하고 기운을 왕성하게 함.

## Ingredients

| | |
|---|---|
| 2 tbsp. | Korean bean paste** |
| 2 tbsp. | Korean hot chili paste** |
| 3 tbsp. | sugar |
| 3 tbsp. | corn syrup |
| 3 tbsp. | sesame oil |
| 3 tbsp. | toasted sesame seeds |
| 3 tbsp. | pumpkin seeds, shelled and chopped |
| 3 tbsp. | sunflower seeds, shelled and chopped |
| 3 tbsp. | pine nuts, chopped |
| 3 tbsp. | almonds, chopped |

## Preparation & Presentation

Gently fold all ingredients together. Use this tasty sauce with various wraps and roll ups.

## Note

▶▶ The combination of the five different seeds and nuts creates a very distinctive and delicious nutty flavor.

✶✶ Available in Korean specialty grocery.

# 오미자차에 무친 더덕요리
## Codonopsis with Green Tea Dressing

## 준비할 재료 [3-4인분] 🌱

더덕 6온즈(150g)  오미자차 4큰술  곱게 간 잣가루 2큰술
고추장 2큰술  고춧가루 1큰술  참기름 1큰술
물엿 2큰술  곱게 간 마늘 1큰술  곱게 간 생강 1작은술
감초 3조각  물 1½컵

## 이렇게 만드세요

1  생더덕은 껍질을 벗겨 얇게 칼등으로 자근자근 두들긴 다음 먹기좋게 잘라 놓는다.
2  냄비에 물 1½컵과 오미자차 2큰술, 감초 3조각을 넣고 물이 1컵 정도 될 때까지 끓여준다.
3  넓은 그릇에 "2"와 잣가루 2큰술, 고추장 2큰술, 고춧가루 1큰술, 참기름 1큰술, 물엿 2큰술, 곱게 간 마늘 1큰술, 곱게 간 생강 1작은술을 넣고 모두 합친 뒤 "1"의 더덕을 넣고 골고루 무쳐서 접시에 담아낸다.

## 영양상식

▶▶ 오미자차 – 자양, 강장의 효과가 있어 피로회복을 돕고 기침과 천식을 억제하는 효과도 있다.
더덕 – 인삼 주성분인 사포린이 많이 함유되어 있다. 강장에 효과 있으며 칼슘, 인 등의 무기질이 풍부하며 식물성 섬유도 많이 들어있다. 위와 장을 튼튼하게 해주는 건위제로도 쓰이며, 기침에도 효과가 있다.
감초 – 특유의 단맛이 있어 각종 처방에 첨가한다.
잣 – 미용효과, 피가 깨끗해지고, 체내에 남아있는 칼로리를 소비하여 장기의 부담을 없앤다. 운동부족으로 인한 비만을 개선하고, 입맛을 돋우며 기운을 찾게하고 자궁을 튼튼하게 한다.

## 3-4 Servings
### Ingredients

| | |
|---|---|
| 6 oz. | fresh codonopsis** (deuh-duk) |
| 1½ cups | water |
| 2 tbsp. | green (oh-me-jah) tea balls** |
| 3 slices | licorice root |

### Dressing

| | |
|---|---|
| 2 tbsp. | green (oh-me-jah) tea |
| 2 tbsp. | pine nut powder |
| 2 tbsp. | hot Korean chili paste** |
| 1 tbsp. | Korean hot chili powder** |
| 1 tbsp. | sesame oil |
| 2 tbsp. | corn syrup |
| 1 tbsp. | finely minced garlic |
| 1 tsp. | finely minced ginger |

### Preparation & Presentation

Peel the codonopsis, flatten (pound gently) with the side of a wide knife and cut in bite sizes.
In a sauce pan, boil the water with the tea balls and licorice until liquid is reduced to 1 cup of green tea for the sauce.
In a large mixing bowl, thoroughly mix dressing ingredients. Add the codonopsis and mix until the dressing is well incorporated. Serve as a delicious side dish.

** Available in Korean specialty groceries.

# 두부 우유 들깨국 Noodles in Soy Broth

## 준비할 재료 [2인분] 🌱

| | | |
|---|---|---|
| 두부 ½모 | 우유 3컵 | 들깨가루 4큰술 |
| 잣 2큰술 | 피클오이 1개 | 쑥갓 100g(3온즈) |
| 삶은 달걀 1개 | 방울토마토 4개 | 소금 ¼작은술 |

### 국수 종류

소면 3뭉치, 생칼국수 600g(19온즈), 메밀국수, 생라면 등 국수 종류는 식성대로 준비한다.

### 이렇게 만드세요

1 두부는 ½모를 3등분으로 납작하게 썰어 끓는 물에 데친 후 찬물에 헹구어 물기를 뺀 뒤 우유 3컵, 들깨가루 4큰술, 잣2큰술과 함께 믹서에 넣고 곱게 간 후에 소금을 조심성있게 넣고 냉장고에 보관한다.
2 오이는 채 썰고 쑥갓은 잎만 떼어 씻어내 물기를 털고 달걀은 완숙으로 삶아 반으로 잘라놓고 방울토마토는 씻어 놓는다.
3 끓는 물에 소면, 생칼국수, 메밀국수 중에 식성대로 삶아 쫄깃쫄깃해지면 찬물에 헹구어 건져 그릇에 담고 오이, 쑥갓잎, 달걀, 토마토 등을 고명으로 얹고, 만들어 놓은 두부 우유 들깨 국물을 자작하게 부어 상에 낸다.

★ 날씨가 덥고 바쁠 때 번거롭게 콩을 물에 담가 불렸다가 믹서에 갈고 하는 것보다 콩국물 대신 두부와 우유, 들깨가루를 국물로 만들어 국수를 말아 한 끼 식사로 준비하면 콩국물보다 더욱 담백하고 고소하며 시간도 절약할 수 있어 좋다.

### 영양상식

▶▶ 우유 – 관절과 뼈의 노화를 해소, 우유 1컵에는 약 200mg의 칼슘이 포함되어 있어 하루에 2컵만 마셔도 하루 필요량은 충당됨.
　　들깨 – 풍부한 단백질과 철분, 칼슘이 들어 있음.

## 2 Servings
## Ingredients

| | |
|---|---|
| ½ lb. | tofu |
| 3 cups | milk |
| 4 tbsp. | perrila seed powder** |
| 2 tbsp. | pine nuts |
| ¼ tsp. | salt, or to taste |
| 1 | pickling cucumber, cut in strips |
| ¼ lb. | edible chrysanthemum leaves** |
| 1 | boiled egg, halved |
| 4 | cherry tomatoes |
| 1¼ lb. | noodles, such as fresh noodle nests, handmade or buckwheat noodles** |

## Preparation & Presentation

Blanch tofu in boiling water and rinse. In a blender or processor, liquefy tofu, milk, perrila seed powder and pine nuts. Season with salt to taste and chill soy broth in refrigerator.

Cook noodles according to directions, rinse in cold water and drain well.

Put about half the noodles in an individual bowl, top colorfully with cucumber, chrysanthemum leaves, egg and 2 tomatoes. Repeat the process in a second bowl. Before serving, pour half the chilled soy broth in each bowl to cover just the noodles and enjoy.

 * Available in Asian groceries.
** Available in Korean specialty groceries.

# 우엉 미나리 김치 Burdock Root Kimchi

## 준비할 재료 🌱

우엉  200g (7온즈) (껍질이 붙은 우엉 1개를  납작하게 썰어 1½컵)
미나리 100g (3½온즈)　　　Fish Sauce(타일랜드 제품) 1큰술
고춧가루  2큰술　　　　　다진 마늘 ½큰술
다진 생강 ½큰술　　　　　Splenda  1큰술
볶은 깨  2큰술

## 이렇게 만드세요

1 우엉은 껍질 부분이 맛있으므로 껍질을 칼로 얇게 깎은 후 깨끗이
  씻어 납작하게 썰어놓고 Fish Sauce 1큰술과 고춧가루 1큰술을
  넣어 소스 간이 배이게 하고 고춧가루 물도 들게 한다.
2 미나리는 흐르는 물에 깨끗이 씻어 짧게 썰고 물기를 빼놓는다.
3 오목하고 넓은 그릇에 고춧가루 1큰술, 다진 마늘 ½큰술, 볶은 깨
  2큰술, 다진 생강 ½큰술, Splenda 1큰술을 한데 넣고 잘 버무린
  뒤 미나리와 우엉을 넣고 살살 골고루 무쳐낸다.

## 영양상식

▶▶ 우엉– 아작아작 씹히는 맛이 매력인 뿌리채소이다. 떫은 맛은 타닌
   성분으로 소염, 지혈, 살균작용을 하며 당질의 일종인 이눌
   린이 풍부해서 신장기능을 높여주고 풍부한 섬유질이 배변
   을 촉진시킨다. 철분, 비타민 C, 칼슘, 칼륨이 함유되어 있고
   이뇨효과가 있어 당뇨병 환자에게 아주 좋은 식품이다.
   미나리 – 특유의 향기가 상큼하며, 씹히는 맛이 좋다. 방향성 정유
   성분으로 보온, 발한 작용, 감기, 냉증치료에 좋고 정신
   을 맑게한다. 철분, 독특한 정유성분 때문에 혈압을 강하
   시키고 해독작용이 있어 고혈압, 동맥경화, 황달 등에 좋
   은 식품이다.

## Ingredients

7 oz.　　　burdock root** (about ½ cup), peeled, cut in thin
slices
1 tbsp.　　fish sauce (Thai)*
1 tbsp.　　hot Korean chili powder**

## Sauce

1 tbsp.　　chili pepper
½ tbsp.　　minced garlic
2 tbsp.　　toasted sesame seeds
½ tbsp.　　minced ginger
1 tbsp.　　sweetner (Splenda)

3½ oz.　　Chinese celery, cut in 1 inch pieces

## Preparation & Presentation

Thoroughly combine the burdock roots, fish sauce and chili
powder until roots are tinted red.
Mix sauce ingredients in a bowl, then fold in the roots and
celery. Enjoy as a side dish.

 \* Available in Asian groceries.
\*\* Available in Korean specialty groceries.

Burdock
Root Kimchi

# 열무냉면 김치 담그기
## Noodles in Kimchi Stock

### 준비할 재료 🌱

| | |
|---|---|
| 소고기(Spencer Roast) 2½ 파운드 | 사과 1개 |
| 소고기 무릎뼈 1½파운드 | 오이 1개 |
| 물 40컵 | 배 1개 |
| 감초 6조각 | 파 2뿌리 |
| 열무 800g(27온즈, 소금 1큰술에 재움) | 잣 2큰술 |
| 무(중간크기) 1개(소금 1작은술에 재움) | |

### 양념 재료

| | |
|---|---|
| 마늘 35 피스 | 매운 고춧가루 ¼컵 |
| 생강(납작 썰어) 12피스 | 찹쌀가루 2큰술 |
| 무(납작 썰어) 1컵 | 물 12컵 |
| 맵지않은 고춧가루 1큰술 | |

### 이렇게 만드세요

1  소고기와 무릎뼈는 찬물에 담갔다가 핏물을 빼고 깨끗이 씻어 물 40컵을 붓고 감초 6조각을 넣어 고기가 푹 익을 때까지 끓인다.(육수가 30컵 정도 된다) 냉장고에 넣어 하룻밤을 자면 기름이 하얗게 뜨게된다. 기름을 깨끗이 걷어내고 감초는 버리고 소고기는 따로 보관한다. 국물만 김치에 넣어야 되므로 따로 준비하고 열무는 깨끗이 다듬어 3인치 길이로 자른 후에 물에 깨끗이 씻고 소금 1큰술을 뿌려 비닐을 덮어놓는다. 무 1개는 껍질을 벗기고 8등분으로 큼직큼직 썰어 소금 1작은술에 잰다.(하룻밤을 잔다) 사과는 8등분하고 오이는 손가락 길이로 썰어두고 배는 껍질을 벗기고 굵게 채썰어 놓고 파도 듬썩듬썩 썰어놓는다.
2  찹쌀가루 2큰술에 물12컵을 넣고 찹쌀풀을 쑤어놓는다.(찹쌀물 12컵)
3  마늘 35쪽과 생강 12쪽, 무를 납작하게 썰어 1컵과 "2"의 찹쌀물 6컵을 넣고 믹서기에 곱게 갈아놓는다. 여기에 고춧가루 ¼컵, 맵지않은 고춧가루 1큰술, 맛소금 1½큰술, 마늘소금가루 1큰술을 넣고 잘 저은 후에 준비한 열무, 절인 무, 사과, 오이, 배, 파를 넣고 골고루 무친다. 기름을 걷은 육수 30컵과 "2"의 나머지 찹쌀물 6컵을 모두 넣고 맨 위에 잣 2큰술을 뿌린 뒤 싱거우면 소금을 조금 더 넣는다. 뚜껑을 덮어 냉장고에서 익힌 뒤 냉면사리를 준비하고 국물 그대로 건더기와 같이 쓴다.

### 요리의 센스

▶▶ 육수 만들 때 삶은 고기는 편육으로 썰어 올리고 달걀을 삶아 냉면사리 위에 올리면 열무김치 냉면으로 아주 일품이다.

### Ingredients

| | |
|---|---|
| 2½ lbs. | beef, a Spencer roast |
| 1½ lb | shin bone |
| 40 cups | water, plus as needed |
| 6 slices | licorice root |
| 1 | medium radish, cut in 8 wedges |
| 1 tbsp. | salt |
| 1¾ lb. | young Asian radishes with leaves**, cut every 2-3 inches including leaves |
| 2 tbsp. | glutinous rice powder** to make rice water |

### Seasonings

| | |
|---|---|
| 35 cloves | garlic |
| 12 slices | ginger |
| 1 cup | radish slices |
| 6 cups | rice water (see above) |
| 1 tbsp. | Korean paprika powder** (not hot) |
| ¼ cup | hot Korean chili powder** |
| 1½ tbsp. | Korean seasoned salt** |
| 1 tbsp. | garlic salt |
| | |
| 1 | apple, peeled, cored, cut in 8 wedges |
| 1 | pickling cucumber, cut in ½ x ½ x 2 inch sticks or fat strips |
| 1 | Asian pear, peeled, cored, cut in thick strips |
| 2 | spring onions, cut in 2 inch lengths |
| 30 cups | meat stock cooked buckwheat noodles**, packaged in bundles or nests hard boiled eggs, shelled, ½ per person |
| 2 tbsp. | pine nuts for garnish |

### Preparation & Presentation

Cover roast and shin bone completely with water, boil 2-3 minutes, then rinse well.  Put roast and bone in a clean pot, add 40 cups water and licorice, bring to a boil and simmer until meat is tender but not falling apart. Remove meat and reserve, strain the stock, refrigerate overnight, then skim off fat to yield 30 cups of stock.

Sprinkle radish wedges with salt and refrigerate. Sprinkle 1 tbsp. salt over Asian radishes, cover and set aside.

Boil 12 cups water with glutinous rice powder to make 12 cups rice water, cool for later use.

For seasonings, use a food processor to puree garlic, ginger, radish slices and 6 cups of the rice water. Add paprika and chili powders, Korean seasoned salt and garlic salt and mix. Combine this with Asian radishes, apple, cucumber, pear, spring onions, 6 cups rice water and 30 cups meat stock. Refrigerate 2-3 days to make kimchi soup.

Before serving, cook buckwheat noodles according to directions. Slice meat thinly. Put a noodle nest in each large individual bowl, pour in soup, arrange meat and half a boiled egg on top and garnish with pine nuts.

** Available in Korean specialty groceries.

Cooking...

# 재료의 어림치와 무게

## 계량단위

| | |
|---|---|
| 1컵 | 200g |
| 1큰술 | 15g |
| 1작은술 | 5g |
| 1컵 | 13⅓큰술(40작은술) |

## 곡류

| | |
|---|---|
| 쌀 1컵 | 180g |
| 통보리쌀 1컵 | 170g |
| 밀가루 1컵 | 120g |
| 콩 1컵 | 180g |
| 팥 1컵 | 150g |
| 차조 · 수수 · 녹두 1컵 | 160g |
| 녹말가루 1컵 | 120g |
| 녹말가루 1큰술 | 7g |

## 양념류

| | |
|---|---|
| 고추장 1큰술 | 15g |
| 된장 1큰술 | 18g |
| 간장 1큰술 | 18g |
| 고춧가루 1컵 | 100g |
| 참기름 1큰술 | 15g |
| 깨소금 1큰술 | 6g |
| 식물성 기름 1큰술 | 13g |

# WEIGHTS AND MEASURES

### Weight and measures

1 lbs = 454g

1 cup = 200g

1 cup = 13 ⅓ tbs.

1 cup = 40 tsp.

1 tbs. = 15g

1 tsp. = 5g

### Grain

1 cup rice = 180g

1 cup Barley = 170g

1 cup flour = 120g

1 cup bean = 180g

1 cup red bean = 150g

1 cup Mung bean = 160g

1 cup starch = 120g

1 tbs. starch = 7g

### Sauces and Condiments

1 tbs. chili bean paste = 15g

1 tbs. bean paste = 18g

1 tbs. soybean sauce = 18g

1 cup hot chili powder = 100g

1 tbs. sesame oil = 15g

1 tbs. roasted sesame seed = 6g

1 tbs. vegetable oil = 13g